KB131958

크리처스

곽재식
크리처스
6 지귀 편下
신라괴물해적전
곽재식×정은경×안병현

1

술에 취해 비틀거리던 이들도 모두 집으로 돌아간 깊은 밤, 김해경 항구 앞을 내달리는 사내가 있었다. 사내는 지난 며칠간 일어난 일들을 떠올렸다.

'내가 그것만 만들지 않았어도……!'

사내는 소싯적부터 괴짜 같은 구석이 있어 잡다한 지식 모으는 것을 좋아했다. 산학*을 익히기도 하고 별의 움직임을 관측하기도 했다. 이치에 밝고 머리가 명석하다 보니 귀족들이 종종 그를 찾아와 비밀스러운 부탁을 하곤 했는데, 그중 사내의 구미를 당기는 제안은 없었다. 김 대사가 찾아오기 전까지는…….

어느 스산한 밤, 김 대사가 사내의 집을 방문했다.

---

* **산학**: 셈에 관하여 연구하는 학문으로, 현대의 수학

“자네가 장동인가?”

사내는 그러하다고 답했다. ‘장동’은 귀족들 사이 암암리에 퍼진 이름이었다.

김 대사의 부탁은 아주 해괴하고 괴상했다. 장동은 그런 부탁은 절대 들어줄 수 없다고 거절했으나, 마음 한편으로는 호기심이 동했다.

김 대사는 점잖게 돌아가는 듯했다. 그러나 잠시 후 장동이 눈을 뜬 곳은 재물이 가득한 창고였다. 어찌 된 영문인지 장동은 머리가 지끈거려 아무것도 기억나지 않았다. 이 비장이 장동의 머리를 후려쳐 기절시켰으니 당연한 일이었다. 김 대사는 병사들의 손에 무릎이 꿇려진 장동을 내려다보며 말했다.

“내 보물 창고에 들어온 외부인은 네가 처음이구나. 장동, 너라면 내가 여기로 데려온 이유를 짐작하겠지?”

장동이 말없이 고개를 끄덕였다. 김 대사가 말을 이었다.

“한 달. 한 달 안에 내가 말한 것을 만들어 와라. 필요한 것이 있다면 여기 이 비장에게 말해라. 무엇이든 구해다 주지. 단, 한 달을 넘기면 죽는다. 만들지 못해도 죽는다. 탈출 같은 허튼 짓을 해도 죽는다. 그걸 완성하는 것 말고 다른 선택지는 네게 없다.”

장동은 그때로 돌아간다면 차라리 죽음을 택하리라 생각했다. 해적 흑삼치가 창고를 습격했을 때는 그 덕에 탈출할 수 있어 다행이라고 여겼다. 하지만 김 대사의 눈을 피해 숨어든 항구로 떠밀려 온 얼음 조각을 보았을 때 장동의 생각은 뒤집혔다. 그것은 얼

음 조각이 아니라 꽁꽁 언 채 죽은 사람의 머리였다. 어딘가를 응시하다가 핏줄이 터져 붉게 얼어붙은 눈알이 장동에게 이렇게 말하는 것 같았다.

'너 때문이야. 네가 얼음 도깨비를 만들어서……!'

장동은 오한이 드는 것처럼 몸을 부르르 떨었다. 달아나야 했다. 이 두려움에서. 재앙의 원흉이라는 죄책감에서. 가능한 멀리.

"으아악!"

소소생은 은산호와 마귀침이 달려드는 것을 보고 두 눈을 질끈 감았다. 한쪽에서는 은산호가 제 머리통보다 커다란 철퇴를 내리

쳤고, 다른 쪽에서는 마귀침이 사람만큼 커다란 도끼를 휘둘렀다.

"으악! 살려 줘!"

분명히 눈을 감았건만 소소생의 몸이 반사적으로 움직여 은산호와 마귀침의 공격을 피했다.

"저 녀석, 보지도 않고 우리 공격을 피하다니!"

마귀침의 반응에 은산호가 대꾸했다.

"운이 좋았을 뿐이야. 두 번은 못 피할걸."

은산호와 마귀침은 소소생에게 숨 고를 새도 주지 않고 연달아 공격했다. 지귀가 된 소소생의 몸은 도깨비처럼 신통하게 움직이며 공격을 잘도 피했다. 그 바람에 소소생 뒤에 꼴사납게 몸을 숨기고 있던 철불가에게 철퇴와 도끼가 날아들었다. 철불가는 재빠르게 몸을 굴려 공격을 피한 뒤 솔개날에 장전한 화살을 여러 발 쏘았다. 철불가가 쏜 화살들이 은산호와 마귀침에게 각각 향했으나, 뿌우우우 소리를 내며 달려온 이수약우의 단단한 가죽에 튕겨 나왔다.

"평범한 화살은 먹히지 않는 건가?"

철불가가 당황해서 중얼거렸다.

"뭐야, 철불가도 별거 아니었네. 그나마 얼굴은 반반하다 들었는데 주둥이만 살아 있는 노인네였잖아?"

은산호가 코웃음을 쳤다.

"노, 노, 노인네? 설마 지금 내가 잘생기지 않았단 거니?"

"응. 전혀. 요즘 취향 절대 아니고, 완전 옛날 사람. 노인네."

은산호가 아주 단호하게 말했다.

철불가는 자신이 자랑하는 솔개날이 통하지 않는다는 사실보다 노인네라고 불린 것, 심지어 잘생기지 않았다는 말에 더 큰 충격을 받았다. 비열하고 악명 높은 해적 철불가로 살아온 지난날, 단 한 번도 못생겼다는 소리를 들어 본 적 없는 그였다. 그런데 요즘 취향도 아니고, 노인네라는 소리까지 듣다니. 철불가는 세상이 무너지는 듯했다. 충격이 컸는지 철불가는 이수약우의 코에 친친 감겨 벽이 무너지도록 이리저리 처박히기까지 했다.

"철불가! 뭐라도 해 보라고요!"

소소생이 외쳤지만 철불가는 "내가 노인네라니."라는 말만 중얼거리며 넋을 놓아 버렸다.

"소소생, 지금 한눈팔 때가 아닐 텐데?"

마귀침이 소리치며 도끼를 휘둘렀다. 소소생이 아무리 빨리 움직여도 아귀가 딱 들어맞는 자물쇠처럼 압박하는 은산호와 마귀침의 공격에는 소용없었다. 둘은 양쪽에서 소소생의 역공을 봉쇄하며 공격했다. 소소생이 은산호에게 불꽃을 쏘려 하면 마귀침이 귀신같이 알아채 팔을 걷어찼고, 마귀침을 공격하면 은산호가 철퇴를 붕붕 돌려서 머리를 날리려고 했다.

소소생은 은산호와 마귀침의 합공에 점점 지쳐 갔다. 몸놀림이 눈에 띄게 둔해졌고 기세 좋게 뿜어져 나오던 불길도 점점 사그라지더니 성냥불만큼도 나오지 않게 되었다. 마귀침의 도끼를 아슬아슬하게 피한 소소생은 그만 다리에 힘이 풀려 넘어지고 말았다. 동시에 불꽃마저 소소생의 숨소리처럼 피식 소리를 내며 꺼져 버렸다. 손가락을 벽에 긁어 불을 피우려고 했지만 그마저도 쉬이 되지 않았다.

"힘이 다하니 불꽃도 나오지 않는 건가?"

은산호가 소소생에게 다가왔다.

"지귀라고 해서 기대했더니 겨우 이 정도야? 간만에 재밌는 놀잇감을 찾은 줄 알았는데 시시하잖아."

"이제 그만 죽여 주자. 불쌍하잖아."

마귀침이 말했다. 두 사람은 소소생을 압박하듯 서서히 다가왔다. 붕붕- 철퇴 돌리는 소리와 후웅- 도끼가 바람을 가르는 소리가 가까워지자 소소생은 뒤로 물러났다. 하지만 이미 막다른 벽이었던지라 달아날 공간은 없었다.

"오지 마! 제발! 살려 줘! 난 해적이 아니라고!"

소소생이 항복의 의미로 두 손을 내저었다.

"하아아앗!"

은산호와 마귀침이 기합을 넣으며 달려왔다. 그 찰나의 순간, 소소생의 머릿속에 수많은 생각이 빠르게 스쳐 갔다.

'이제 내 머리는 댕강 썰려서 바닥에 뒹굴겠구나. 아닌가, 철퇴에 맞아 머리가 으깨져서 형체도 없이 사라지려나. 사람으로 만들어 준다는 철불가의 거짓말에 속아 여기서 죽다니. 고래눈의 고백에 답도 못 했는데. 이런 걸 뭐라고 해야 할까. 편지를 읽고 사탕을 씹어 삼켰으나 답을 못 했으니 읽씹이라고 해야겠다. 이 덕담 괜찮은데. 이 덕담을 고래눈에게 들려줘야 하는데. 이렇게 죽으면 안 되는데…….'

소소생이 고래눈을 떠올리자 은산호와 마귀침을 향해 마구 휘젓던 팔에서 강한 불길이 나선형을 그리며 쏟아져 나왔다. 강렬한 불줄기가 팔의 움직임에 따라 현란한 채찍처럼 휘둘러졌다.

"뭐야. 아직 더 남았어?"

마귀침이 몸을 굴려 불길을 피했다. 은산호도 뒤로 공중제비를 돌며 피해 냈다.

"어? 불이 다시 나오네?"

소소생이 손바닥을 훑어보는 사이 불줄기가 두 가닥으로 갈라지더니 은산호의 철퇴를 휘감았다. 은산호조차 피하지 못하고 철

아아아아악

퇴를 놓칠 만큼 순식간이었다. 은산호의 손을 벗어난 철퇴는 불길에 휩싸이며 형체도 없이 녹아 버렸다.

"내 철퇴가!"

"엇? 미안! 그러려던 건 아닌데."

소소생은 정말 고의가 아니었다. 맹세코 은산호와 마귀침의 공격에서 벗어나 고래눈에게 방금 지은 '읽씹' 덕담을 들려주고 싶은 마음뿐이었다. 하지만 고래눈을 떠올릴수록 소소생의 몸에서 꺼져 가던 불씨가 되살아나 제멋대로 은산호를 공격했다.

소소생이 허둥거리며 손을 움직이자 이번엔 마귀침이 있는 쪽으로 불길이 향했다. 불꽃은 마귀침의 도끼를 게걸스레 먹어 치우며 두 동강을 내더니 순식간에 재로 만들어 버렸다. 무시무시한 기세에 마귀침도 도끼를 뿌리칠 수밖에 없었다.

"내 도끼까지!"

"미, 미안. 아니, 이게 왜 이러지?"

은산호와 마귀침의 무기가 모두 녹아 없어져 버리자 이수약우가 철불가를 바닥에 패대기쳤다. 뿌우우우-. 놈은 씩씩 뜨거운 콧김을 뿜으며 소소생을 향해 돌진하기 시작했다.

"소소생!"

철불가는 그제야 정신을 차린 듯 재빨리 일어나 솔개날에서 화살을 빼 들었다. 화살이 몇 발 남지 않았기에 신중을 기해야 했다. 철불가는 불꽃의 잔재를 화살촉에 묻혀 이수약우의 사방으로 쐈다. 놈 주위로 불화살이 여럿 박히면서 불꽃이 더 크게 일어나 불타는 우리가 만들어졌다. 이수약우가 뜨거운 열기에 뒷걸음쳤다. 그 모습에 철불가가 외쳤다.

"하하, 어떠냐!"

이수약우까지 힘을 쓰지 못하자 은산호와 마귀침은 소소생 앞에 비장하게 무릎을 꿇었다.

"젠장. 우리가 지다니!"

"…… 자, 죽여라."

"누굴?"

소소생은 어리둥절한 얼굴로 물었다. 소소생의 몸은 여전히 활활 타오르고 있었다.

"장난해? 우리가 졌으니까 우리를 죽이라는 거잖아! 우리의 완패야. 그러니까 해적답게 아주 잔인하게 죽이라고."

은산호가 버럭 성을 냈다.

"싫어! 너희를 왜 죽여, 그것도 잔인하게? 난 파리도 징그러워서 못 죽인단 말이야."

은산호는 소소생을 아주 가증스러운 놈이라는 듯 노려보았다.

"천하의 덕담계 두령께서 해적 죽이는 게 싫다고? 웃기시네."

"싸움에서 지면 다른 해적들은 꽁무니 빼고 달아나던데, 너희는 왜 죽여 달라고 하는 건데?"

소소생이 질색을 하자 마귀침이 말했다.

"그야 여기가 장보고의 보물 창고이자 지금은 천하제일 해적이 지키는 '적굴암'이기 때문이지. 천하제일 해적은 한 명뿐이니까."

"적굴암? 천하제일 해적?"

소소생은 무슨 말인지 하나도 알아들을 수 없었다.

"아니, 분명히 철불가가 장보고의 보물 창고라면서 아무도 모르는 곳이라고 했는……?"

소소생이 철불가가 있어야 할 곳을 노려봤다. 역시나 철불가는 그새 달아나서 보이지 않았다.

"철불가가 또?"

소소생이 '이 인간 또 이러네.' 하는 얼굴로 한숨을 쉬었다. 잊을 만하면 밝혀지는 철불가의 사기 행각에 기가 찰 노릇이었다. 그 모습에 마귀침이 풀피리를 불었다. 그러자 이수약우가 불타는 우리를 펄쩍 뛰어넘어 두두두 땅을 흔들며 적굴암 입구로 달려가더니 잠시 후 철불가를 코로 휘감아 데려왔다. 철불가는 이수약우의 코에 붙잡혀 대롱대롱 매달린 주제에 새하얀 건치를 드러내며 씩 웃었다.

"하하. 밖에 날씨가 어떤지 궁금해서 잠시 나갔던 것뿐이야. 다행히 비는 오지 않더라고. 아주 좋은 날씨야."

철불가의 뻔뻔한 웃음을 보자 소소생의 몸에서 활활 타오르던 불씨가 싹 꺼졌다. 소소생은 싸늘하게 식은 몸과 마음으로 물었다.

"철불가, 대체 어디부터 어디까지 거짓말이었던 거예요? 사실대로 말해요."

"설마 저 노인네 부하한테 사기당한 거야? 무슨 해적 두령이 이렇게 허당이야?"

은산호가 어처구니없다는 표정으로 물었다.

"노인네 아니래도? 물론 내가 만 년이나 살았다는 소문은 익히 들었을 거야. 하지만 보다시피 외모적으로는 너희보다 아주 조금 나이가 많은 정도의 청년이라고! 절대 노인네가 아니야."

철불가는 보물 창고에 대한 변명은 뒷전이고 노인이 아니라고 반박하기 바빴다. 소소생은 철불가에게 설명을 듣기는 글렀다 싶어 마귀침에게 다시 물었다.

"자세히 말해 줘. 천하제일 해적이 뭔지."

마귀침이 소소생을 동굴 가장 안쪽으로 데려갔다. 그곳은 석굴암처럼 돌을 깎아서 만든 공간이었는데 가운데에 번쩍번쩍 윤이 나는 황금 의자가 있었다. 어쩐지 음산한 분위기를 풍기는 의자는 단단하고 차가워 보였다. 소소생의 키만큼이나 큰 의자 등받이에는 창, 작살, 도끼, 단검 같은 갖가지 무기가 붙어 있었고, 오랜 시간 방치되어 있었던 듯 초록색, 검붉은색 이끼가 낀 날붙이들은 하나같이 적갈색 피를 머금고 있었다. 마치 수많은 무기들에 맺힌 피가 황금 의자의 장식품처럼 보일 정도였다.

마귀침이 말했다.

"해적들의 적 장보고의 보물 창고였으며, 이곳을 차지하려던 수많은 해적들의 피가 스며든 곳. 죽어서도 해적들을 죽음으로 몰아넣은 장보고의 최후의 함정. 우리 해적들은 장보고에 대한 분노를 담아 이곳을 '적굴암'이라고 부르지."

소소생이 여전히 어리둥절해하자 마귀침이 이야기를 시작했다.

다시 말하면,
네 말의 반은 맞고 반은 틀려.
여기가 장보고의 보물 창고였던
것은 맞아.

바로 이 황금 의자의
원래 주인은 해적들이
그토록 싫어하는 장보고였어.

처음 이곳을 발견한 해적들은 서로를 의심하며 큰 싸움을 벌였어.

이 모든 것이 장보고의 꾀였어!
장보고가 우리끼리 싸우게 하려고 가짜 보물 창고를 만들어 놓고 보물이 있다는 헛소문을 퍼트린 거야!
징글징글한 놈! 죽고 나서도 우리를 이간질하려 들다니!
그 후 그들은 동료이자 가족이었던 해적들의 죽음을 헛되이 하지 말자고 약속했어. 피의 맹세를 맺기로 한 거지.

그리고 이 싸움에서 희생된 해적들의 무기를 황금 의자에 녹여 붙였어.
이 비극을 기억해야 하네.
해적 중 일인자가 이곳을 지키는 게 어떻겠나?
그자에게 적굴암의 황금 의자를 주고 천하제일 해적으로 인정하기로 하세.

그렇게 천하제일 해적 자리는 여러 사악한 해적의 손을 거쳐 바다전갈에게 넘어갔고,

바다전갈이 장인에게 죽자 흑삼치가 그 권좌를 차지하게 되었어.

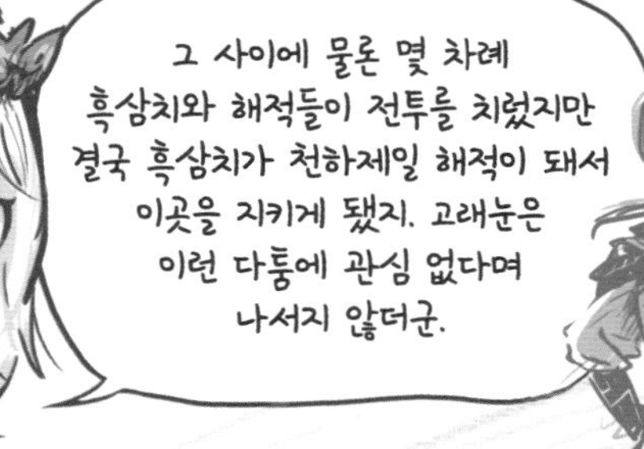
그 사이에 물론 몇 차례
흑삼치와 해적들이 전투를 치렀지만
결국 흑삼치가 천하제일 해적이 돼서
이곳을 지키게 됐지. 고래눈은
이런 다툼에 관심 없다며
나서지 않더군.

소소생이 철불가를 노려보았다. 분명히 자신이 보물 지도를 다 외우고 없애 버렸으니 아무도 이곳을 못 찾을 거라는 말을 똑똑히 기억하고 있었다.

철불가가 딴청을 피우려 할 때, 마귀침이 입을 열었다.

"그런데 우리가 이곳에 와 보니 흑삼치가 없더라고. 우리는 무주공산*인 이곳을 피 한 방울 흘리지 않고 차지할 수 있었지. 너희가 이 섬에 처음 왔을 때도 동굴 밖에 있던 부하들이 봉화로 알려 줘서 미리 알았고."

소소생은 입구 근처에서 보았던 연기를 떠올렸다. 그때도 철불가는 소소생이 칠칠치 못하게 또 어딘가 불씨를 흘려서 나는 연기일 거라고 타박했었다.

마귀침이 소소생을 똑바로 쳐다보았다. 눈빛이 어찌나 강렬한지 소소생은 저도 모르게 고개를 움츠렸다.

"소소생, 그리고 이제 네가 천하제일 해적이 된 거야. 그러니 이만 우리를 죽여라."

소소생은 답답하다는 표정을 지었다.

"그게 왜 너희를 죽여야 하는 이유가 되는 건데?"

"말했잖아. 천하제일 해적은 이제 너니까 우릴 죽여야……."

은산호의 말에 소소생이 질색하며 입을 열었다.

"제발 죽이란 소리 좀 그만해! 장보고니 보물이니 이런 망령만

---

* **무주공산**(無主空山): 임자 없는 빈산

가득한 동굴은 벗어나. 더 좋은 곳에서 지내라고!"

이에 지지 않고 은산호가 맞섰다.

"해적끼리의 대결에서 패했으면 남은 건 죽음뿐이다. 그게 해적의 법칙이라고!"

같은 말을 반복하는 데 지친 소소생이 타이르듯 말했다.

"설령 내가 천하제일 해적이 됐다고 치자. 그래서 뭐? 난 덕담꾼이지 피에 굶주린 살인마가 아니야. 아무도 죽이고 싶지 않아."

갑자기 마귀침이 한쪽 무릎을 꿇더니 말했다.

"두령!"

2

"뭐?"

"두령?"

소소생과 은산호가 동시에 외쳤다.

"은산호, 너도 빨리 무릎 꿇어. 이제부터 소소생 님이 우리의 두령이시다."

"마귀침, 무슨 소리야? 이 애송이가 왜 두령이야?"

"난 방금 우리 두령의 바다만큼 넓고 깊은 뜻을 보았다. 우릴 죽일 수도 있는데 살려 주신 것도 모자라, 이곳을 벗어나 더 좋은 곳에서 지내라고 복까지 빌어 주셨어. 그동안 해적 생활을 하면서 이토록 아량이 넓은 해적은 처음이야. 무엇보다 해적이 아니라고 겸연쩍어하시니, 소소생 님은 해적 중에 참해적이시다! 그러니 앞으로 평생 두령으로 모실 거야!"

"좋아. 마귀침이 그렇다면 나 은산호도 소소생 님을 두령으로 모시겠어."

은산호도 마귀침 옆에 무릎을 꿇었다.

"천하제일 해적 소소생 님, 저희를 부하로 받아 주십시오."

마귀침과 은산호가 동시에 말했다. 어찌나 비장하게 외치는지 동굴에 두 사람의 목소리가 웅웅 울렸다. 소소생이 질색하는 표정을 짓자 철불가가 슬쩍 끼어들었다.

"소소생, 어서 받아 주거라. 안 받아 줄 거면 죽이라고 하잖니. 이 녀석들 혈기가 방장*하여 네가 부하로 삼지 않으면 정말 죽을지도 몰라. 불쌍한 중생들 구한다 생각하고 알겠다 하라니까. 네가 부하로 삼기만 하면 일은 내가 알아서 시킬 테니, 넌 아무것도 안 해도 된단다."

"철불가도 여기 있게요?"

"그럼, 당연하지. 너와 난 한 몸이잖니. 이 동굴을 보렴. 천하제일 해적이 된 이들은 여기를 지키는 동안 식량과 재물을 조금씩 모아 둔단다. 그러니 아마 흑삼치도 이런저런 쓸 만한 것들을 쌓아 두었을 거야. 박 한찬이 우리 찾는 걸 포기할 때까지 여기 숨어서 흑삼치가 모아 놓은 식량이나 까먹자꾸나. 잡다한 일은 이 쌍둥이 녀석들에게 시키고 말이야."

소소생은 철불가의 말을 듣는 게 내키지 않았으나 마땅한 대안

---

* **방장**: 바야흐로 한창임.

이 없었다. 고민이 깊어질수록 은산호와 마귀침의 눈빛이 부담스러워졌다.

"자, 소소생, 어서 황금 의자에 올라가 앉으렴."

"에휴. 하는 수 없죠. 또 거짓말하기만 해요?"

소소생은 철불가와 하나 마나 한 약조를 하고는 적굴암의 황금 의자에 올라가 앉았다. 소소생은 은산호와 마귀침을 내려다보며 말했다.

"은산호, 마귀침, 너희를 내 부하로 삼을게. 그러니까 여기서 조용히 지내자. 알았지?"

"네. 두령!"

은산호와 마귀침이 동시에 대답했다.

말이 떨어지기 무섭게 철불가가 뒷짐을 지고 앞으로 나서며 은산호와 마귀침에게 말했다.

"자, 너희에게 첫 번째 임무를 주마. 내가 말하는 걸 열 번씩 따라 외거라. '철불가는 노인네가 아니다.' 그리고 '철불가는 미남이다.'"

"왜? 완전 늙은이 맞는데?"

은산호가 딴지를 걸자 철불가가 짐짓 근엄하게 다그쳤다.

"어허! 내 말은 곧 두령의 말이나 마찬가지다. 어서 따라 하거라."

"요즘 미남은 아닌데."

마귀침도 조용히 투덜거렸다.

"그럼 고전 미남으로 하자. 고전은 불멸하니까. 자, 시작해."

"철불가는 노인네가 아니다. 철불가는 고전 미남이다."

"더 크게!"

"철불가는 노인네가 아니다! 철불가는 고전 미남이다!"

"한찬께서 직접 오시다니. 몸 둘 바를 모르겠습니다."

수군 병사가 박 한찬 앞에 엎드려 말했다. 진심이었다. 밥 한술 뜨는 것도 귀찮아서 술로 배를 채우고, 앉아 있는 것도 귀찮아 누워 지낸다고 알려진 그가 제 발로 김해경까지 왔으니 말이다. 소문으로만 듣던 박 한찬의 행패를 몸소 겪게 될까 병사는 지레 겁을 먹고 벌벌 떨었다.

"한여름처럼 더울 때는 언제고 오늘은 왜 이리 추운 게야?"

길이를 늘린 마차에 누운 상태로 박 한찬이 투덜거렸다. 기다란 마차에 손 하나 까딱 안 하고 누워 있는 꼬락서니가 관 속의 시신처럼 보였으나, 그런 생각을 감히 입 밖으로 뱉는 자는 없었다.

"나라가 망하려고 이러나. 날씨가 이상해지질 않나 화천왕 같은 사기꾼이 날뛰질 않나."

박 한찬은 나라 망하게 하는 일등 공신이 자신이라는 것을 모르는 양 말했다. 박 한찬의 부하가 엎드려 있는 병사를 일으키며 물었다.

"한찬께서 직접 오실 만큼 중한 일이라 들었다. 네놈이 아뢴 전갈이 사실이냐?"

"예, 예! 한찬께서도 보시면 제 말이 사실이라는 것을 아실 겁니다! 저도 두 눈으로 확인하기 전까지는 상인들이 하는 말을 절대 믿지 못했습니다."

병사의 떨리는 손이 항구를 향했다. 병사가 가리킨 방향에는 믿지 못할 것이 둥실 떠내려와 있었다. 웅성거리며 몰려든 백성들 뒤로 커다란 빙산이 보였다. 아니, 그것은 단순한 빙산이 아니었다.

박 한찬은 고개를 드는 것도 귀찮아서 외쳤다.

"거울!"

넋을 놓고 있던 하인들이 퍼뜩 정신을 차리고는 박 한찬에게 앞이 보이도록 청동 거울을 비추었다.

'직접 봐야 한다며 여기까지 와 놓고 고개 드는 것도 귀찮아서 거울로 보다니. 저 정도는 되어야 부정부패를 저지르고도 발 뻗고 살 수 있구나. 역시 범인凡人의 범주가 아니다.'

박 한찬의 부하가 새삼 감탄했다.

"저게 무엇이냐?"

박 한찬이 물었다.

"노예선을 수색하러 갔던 전함입니다."

그랬다. 빙산의 안쪽에는 두 조각이 난 배가 들어 있었다.

일전에 박 한찬이 뒤를 봐주던 노예선이 흔적도 없이 사라진 일이 있었다. 노예선이 고래눈에게 습격당할 줄은 꿈에도 몰랐던 박 한찬은 막심한 손해를 보았다. 설상가상으로 그 이후 박 한찬이 노예선의 흔적이든 뭐든 찾아오라 시킨 전함마저 사라졌던 것이다. 그런데…….

"보시는 대로, 전함이 완파된 것도 모자라 거대한 얼음 덩어리가 되어 돌아왔습니다. 게다가……."

부하는 떨리는 숨을 한 번 고르더니 입을 열었다.

"배에 있던 병사들까지 전부 얼어 죽어 있었다고 합니다."

"망할! 대체 어떻게 된 일이란 말이냐? 누가 감히 내 재물을 건드려?"

"얼음 도깨비의 술수라는 소문이 파다합니다."

"얼음 도깨비? 그게 말이 되는 소리냐? 무능하기 짝이 없는 것들! 그런 핑계나 대려거든 똑같이 얼어 죽게 만들어 주겠다고 전해라! 얼음 도깨비가 그랬니 어쩌니 질책을 피하려고 아무 소리나 갖다 붙이는 것 내 모를 줄 아느냐?"

박 한찬은 누운 자세에서도 꽥꽥 소리를 잘도 질러 댔다.

"하지만……."

"시끄럽다! 네 녀석이 무능하니 아랫것들이 그런 허튼 소리나 지껄이는 것 아니냐! 얼음 도깨비 따위가 진짜 있으면 잡아다 서라벌 석빙고에 가둬 놓고 말지, 어? 이놈들이 살 만하니까 그딴 소문이나 주워섬기지. 조세를 두 배 아니 세 배로 올려라. 더워 죽을 만큼 일하다 보면 얼음 도깨비의 '얼' 자도 입에 못 올리겠지."

"그리하겠습니다."

부하가 고개를 조아리며 말했다.

"철불가와 소소생은 어찌 됐느냐? 잡았느냐?"

"그것이 아직……."

"에이, 쓸모없는 놈. 이 잡듯이 샅샅이 뒤져서 잡아 와! 당장! 짜증이 나서 일어날 기력도 없구나. 마차를 술집으로 돌려라."

박 한찬의 마차가 방향을 틀었다. 숨어서 이를 지켜보고 있던 이들이 혀를 끌끌 차며 말했다.

"쯧. 저런 놈팡이가 벼슬아치라니. 저런 놈이 확 얼어 뒈졌어야 했는데."

"하 참! 그러게 말이오. 얼음 도깨비든 화천왕이든 뭐 하고 있는지 모르겠구려. 저 인간은 안 잡아가고."

"그 김에 화천왕이 얼음 도깨비도 없애 주면 좋겠군. 저렇게 무자비하게 사람을 죽이다니……. 얼음 도깨비가 언제 여기까지 올지 모르잖나. 화천왕이 사람 죽였다는 소리는 못 들어 봤으니 얼음 도깨비보다는 낫겠지."

"화천왕이 누구요?"

옆에서 누더기 천을 깊이 눌러쓴 사내가 물었다.

"시장에서 묘기를 부리던 자들이 모시는 신이라네. 화천왕에게 재물을 바치고 소원을 빌면 이루어 준다나?"

"그놈들 불 도깨비 흉내를 내는 사기꾼이라던데. 귀족이나 부자들을 노리고 화천왕이라면서 사기를 친 거라더구먼."

"아니야. 내 두 눈으로 똑똑히 봤네. 화천왕이 온몸에서 불을 뿜어냈단 말일세. 그런 일을 어찌 사람이 할 수 있단 말인가?"

구경꾼들은 이번엔 화천왕을 두고 설전을 벌였다.

"그럼 화천왕이 어떻게 생겼는지 본 적 있으시오?"

누더기 천을 두른 이가 잠자코 있다가 또다시 물었다.

"화천왕은 못 봤고 화천왕을 모신다는 사제인가 뭔가 하는 놈만 봤다오. 키가 훤칠하고 인물도 잘났었지. 코가 오뚝하고 눈매는 우수에 차고 턱선도 갸름했어. 아주 곱상한 얼굴이었다니까. 게다가 어찌나 말발이 좋은지, 그놈이 말하면 귀족들이 모두 홀려서 화천왕을 보러 갔다네."

"그자를 보려면 어디로 가야 하오? 나도 소원을 빌고 싶은데."

"이제 못 봐. 이미 떴거든. 박 한찬한테 사기를 치고 도망쳤다는 말도 있고, 소원을 이뤄 주러 승천했다는 말도 있고. 아무튼 여기에는 없어."

누더기 천을 두른 이가 고맙다고 고개를 끄덕이고는 항구를 벗어났다. 그자는 보는 사람이 없는지 주위를 살피더니 지붕 위로 훌쩍 뛰어올랐다.

지붕 위에는 고래눈이 기다리고 있었다. 사내가 누더기 천을 벗자 구릿빛 피부가 드러났다. 바로 범이였다.

"그래, 좀 알아봤느냐?"

"이곳 시장에서 화천왕이라고 사기를 치는 일당이 있었던 듯합니다. 사람들이 말하길, 화천왕의 사제라는 자는 말발이 좋고 인물이 훤하였다니 철불가가 아닌가 추정됩니다. 하지만 불을 가지고 논다는 화천왕이라는 자는 귀족이나 부자가 아니면 만난 자가 없어 더 알아내지 못했습니다."

범이와 고래눈은 얼음 도깨비와 불 도깨비에 대한 진상을 파헤

치러 며칠 전 김해경에 도착한 터였다.

"나 또한 그리 생각한다. 철불가가 화천왕이라는 사교를 만들어 귀족들의 등을 친 모양이다. 하지만 화천왕을 봤다는 귀족들의 말을 들어 보니 화천왕이 부린 묘기가 눈속임 같지는 않았다."

"그럼 고래눈 형제는 화천왕이 진짜라고 생각하십니까?"

"화천왕은 가짜다. 하지만 화천왕이 보여 주는 불 묘기는 진짜일지도 모르지."

"예? 그게 무슨……."

"우리가 찾던 불 도깨비라면 가능할지도. 그리고……."

고래눈은 말을 끊었다가 다시 말했다.

"그 불 도깨비가 소소생일지도 모르겠다."

"예? 소소생이요?"

"화천왕에게 사기를 당한 귀족들이 묘사한 화천왕은 꼭 소소생 같았다. 키가 나와 비슷하고 목소리를 굵게 꾸몄으나 언뜻 튀어나오는 진짜 목소리는 앳된 청년 같았다는구나."

"하지만 그렇게 생긴 이들이야 널리고 널리지 않았습니까. 더구나 소소생이 그런 재주가 있을 리 없고요. 재밌는 덕담도 못하는 녀석인걸요."

"그렇지. 하지만 철불가가 자기 편이라 생각하는 자는 소소생밖에 없다. 나도 믿기지 않지만 철불가와 연관된 앳된 청년이라면 소소생밖에 생각이 안 나는구나. 그러니 나는 불 도깨비와 화천왕을 더 추적해 보겠다. 범아, 넌 얼음 도깨비를 찾아보거라."

“네. 얼음 도깨비든 불 도깨비든 보통 놈들이 아닐 테니 고래눈 형제도 조심하셔야 합니다.”

“하하하. 천하제일검에게 조심하라는 자는 너뿐일 것이다. 범이 네가 많이 컸구나.”

고래눈이 활짝 웃자 하얗고 가지런한 치아가 드러났다.

“고래눈 형제보다 제 키가 훨씬 크다고요. 언제까지 애 취급하실 겁니까?”

범이가 툴툴거리자 고래눈이 웃음을 거두었다.

고래눈이 범이의 머리를 쓰다듬고는 휘리릭 지붕 아래로 몸을 던져 사라졌다. 범이는 굽히고 있던 다리를 쭉 폈다. 범이가 제대로 서자 고래눈이 있던 위치보다 머리가 한참 위로 올라왔다.

“이렇게나 큰데 아직도 애 취급이라니. 대체 얼마나 더 커야 사내 취급을 해 주시려나. 설마 장인만큼 커야 하는 건 아니겠지?”

범이는 고개를 절레절레 내저으며 건너편 지붕으로 뛰어올랐다.

3

"제발 저 좀 살려 주세요……."

소소생이 금방이라도 울 것 같은 얼굴로 말했다.

"네놈이 덕담게 두령 소소생이냐?"

털보 해적이 소리쳤다. 삐죽삐죽한 못이 가득 박힌 방망이를 들고 턱수염을 잔뜩 기른 자였다.

털보의 뒤로는 열댓 명의 해적이 제각각 무기를 들고 서 있었다. 그들의 눈빛은 모두 살기가 어려 담이 작은 이는 보기만 해도 몸이 바들바들 떨릴 정도로 위협적이었다. 소소생은 금방이라도 의자 뒤에 숨고 싶었다.

"넵. 맞습니다. 원하는 게 있으시면 말씀만 하세요."

소소생은 털보가 말을 잇기도 전에 일어서서 고개를 숙였다.

"약한 척해도 소용없다. 네놈이 그렇게 아픈 척 약한 척 속여서

뒤통수를 친다는 것 다 알고 왔다."

"아니요, 저 진짜 약해요. 그러니까 최근엔 어쩌다 보니 불을 좀 쓰게 됐는데, 그거 말고는 저 진짜 약골입니다."

소소생은 진심으로 한 말이지만 아무도 믿어 주지 않았다.

철불가가 숨겨진 식량을 찾아내 기뻐하는 며칠 동안, 소소생이 은산호와 마귀침을 비겁한 방법으로 이기고 천하제일 해적이 되었다는 소문은 빠르게 퍼져 나갔다. 덕분에 곳곳에서 소소생을 물리치고 한자리하려는 해적들이 몰려오기 시작했다.

"자, 자, 그렇게들 모여 있지 말고 이리들 오시게. 우리 덕담계 해적 두령이자 불 도깨비 지귀이신 소소생과 싸우려면 나한테 재물을 내고 차례를 기다리시오."

철불가가 해적 패거리에게 어디서 주워 온 빈 바구니를 내밀며 말했다.

"철불가! 지금 뭐 하는 거예요? 싸움을 말리지는 않고."

"너 보러 먼 길 오신 손님들이다. 여기까지 오셨는데 너랑 한판 거하게 싸우고 가시면 좋지 않니. 좀 싸운다고 불꽃이 닳는 것도 아닌데 꼭 그렇게 야박하게 빈손으로 돌려보내야겠니?"

"와……! 저들이 저를 죽이려 드는데도요?"

"어차피 넌 별로 맞지도 않잖아. 지귀가 되고 나서는 잘 다치지도 않더구먼. 좀 몇 대 맞아 드리고 집에 보내면 되지. 어차피 너랑 싸우러 온 거, 저치들한테 가진 것 좀 내놓으라고 하면 서로서로 좋은 거 아니겠니."

“전 싫다니까요?”

소소생의 강력한 의사 표현에도 철불가는 듣지 않고 어느새 길게 줄을 선 해적들에게 가 버렸다.

“어이 거기, 새치기하지 마시오. 어? 재물을 더 준다고? 그럼 당연히 앞으로 모셔야지. 자자, 이리 줄을 서시오. 후후후.”

“지귀에서 사람으로 돌려 준다더니! 철불가를 믿은 내 잘못이지. 누굴 탓해.”

소소생이 씩씩대며 적굴암을 나서려 하자 털보 해적이 외쳤다.

“어딜 내빼려고! 거기 서!”

털보가 방망이를 휘두르며 달려왔다. 소소생이 깜짝 놀라 반사적으로 손을 들어 올리자 손에서 불꽃이 나오며 털보의 방망이를 태우고 시커먼 재로 만들어 버렸다. 파스스 가루가 되어 부서지고 자루만 남은 방망이를 보고 털보는 입을 떡 벌리고 다물 줄을 몰랐다. 털보가 자랑스레 길렀던 턱수염도 홀라당 타 버려, 턱이 민둥민둥해졌다.

“이, 이놈이! 불시에 공격하다니! 역시 비열하고 못돼 처먹기로 악명 높은 해적답구나! 좋다. 네놈을 정정당당히 상대하려 했으나 이제 이판사판이다. 모두 공격해라!”

털보의 외침에 부하들이 소소생에게 달려들었다.

“와아아아아!”

“아니, 제발, 저 좀, 내버려, 두세요!”

소소생이 외칠 때마다 입에서 화염이 쏟아져 해적들의 머리카락이고, 옷이고, 무기고 가릴 것 없이 불태웠다. 동굴 여기저기에 불이 붙을 때마다 익숙한 듯이 은산호와 마귀침, 이수약우가 양동이에 담아 온 물을 끼얹어 불을 껐다.

잠시 후 열댓 명이 넘던 해적 패들은 모두 무기를 잃고 시커먼 재를 뒤집어쓴 채 소소생 앞에 엎드렸다.

"우리가 졌다!"

불을 뿜어낸 직후라 소소생의 몸에서 뜨거운 김이 모락모락 피어올랐다. 철불가가 미리 준비해 둔 옷을 소소생에게 던졌다.

"자자, 일단 옷부터 갈아입고 이야기하시지요, 두령님."

소소생은 황금 의자 뒤에서 빠르게 옷을 갈아입고 나왔다. 털보와 해적 패가 여전히 무릎을 꿇고 엎드리고 있었다. 털보가 외쳤다.

"자, 우리를 죽여라!"

"또 또. 제발 자기 목숨들을 소중히 하세요. 왜 자꾸 죽여 달라고 하는 거예요? 이제 그만 돌아가세요."

소소생의 말에 털보와 해적들은 큰 깨달음을 얻었다는 듯이 고개를 하나둘 쳐들고 말을 나누었다. 그들은 감동을 받았는지 하나같이 눈에 눈물이 그렁그렁하여 금방이라도 울 기세였다.

"해적에게 목숨을 소중히 하라니. 저런 멋진 말은 처음 들었어."

"역시 천하제일 해적은 다르군!"

"그렇다면 저희를 부하로 거두어 주십시오, 두령!"

"소소생 님은 참으로 천하제일 해적이십니다. 저희 목숨은 이미 소소생 님께서 가진 것이나 마찬가지니, 저희를 부하로 받아 주십시오!"

털보가 가장 앞에서 큰절을 올리며 큰 소리로 말했다.

"아니, 이러지 마세요! 어서 돌아가시라고요."

소소생이 황급히 손을 내저었으나 해적들은 고개를 조아리고 일어날 기미를 보이지 않았다. 그러자 이번에도 철불가가 나섰다.

"자, 부하가 될 사람도 내 앞에 서시오. 부하도 순서라는 게 있소. 내가 첫 번째 부하니, 내 말은 두령의 말이나 마찬가지라오. 그러니 내 밑으로 줄을 서시오. 내 다음은 은산호와 마귀침이니 네 번째 부하가 될 사람이 누구요?"

그러자 털보가 수줍어하며 손을 들었다.

"제가 마땅한 듯합니다."

"알겠소. 다음. 다섯 번째 부하는 누가 할 거요?"

철불가가 묻자 해적들은 자기들끼리 순서를 정하더니 차례대로 줄을 섰다.

"하, 이게 대체 무슨 상황인 거야?"

소소생이 이마를 짚고 한숨을 쉬었다.

"두령, 어서 황금 의자에 기대어 쉬세요."

은산호와 마귀침이 황금 의자를 끌고 와 소소생의 엉덩이에 갖다 대어 앉혔다. 소소생은 은산호와 마귀침이 수발을 드는 것도 불편했다. 그런데 부하로 받아 달라는 해적이 더 늘어나니 인간으로 돌아갈 날도 멀어져 가는 것 같아 골치가 아팠다.

소소생을 찾아오는 해적들은 한 명도 빠짐없이 소소생에게 결투를 신청했다. 이번엔 청구인이라는 커다란 푸른색 괴물 지렁이를 부리는 대머리 해적이었다.

"네 이놈, 소소생! 감히 네가 천하제일 해적 자리를 차지해?"

"아니에요. 천하제일 해적 하세요. 전 괜찮으니까."

대머리 해적은 소소생의 말을 무시한 채 청구인에게 명령을 내렸다. 커다란 청구인들이 대머리 해적의 손짓에 따라 밧줄처럼 뭉쳤다. 청구인 밧줄은 그대로 소소생을 휘감아 소소생이 버둥거릴수록 더 세게 죄어들었다. 숨이 막혀 오자 소소생의 눈이 저절로 감겼다. 하지만 소소생이 정신을 잃기 직전 갑자기 온몸에서 큰 불꽃이 일어나 청구인들을 모두 태워 버렸다.

지켜보던 이들은 소소생이 눈 감고도 괴물을 물리쳤다며 감탄했다. 불꽃에 화들짝 놀란 대머리 해적은 두 손 두 발을 들었다.

"소소생! 네가 천하제일 해적이렷다?"

이번엔 쥐처럼 앞니가 커다랗고 눈이 쭉 찢어진 해적이었다. 그의 뒤로 서묘鼠貓라는 커다란 쥐들이 적굴암에 쏟아져 들어왔다. 서묘는 고양이보다 쥐를 더 잘 잡는다고 해서 고양이貓 같다는 이름이 붙은 괴물 쥐인데, 이름과 달리 길쭉한 이빨과 흉측하고 기다란 꼬리가 영락없이 쥐였다. 서묘들은 쥐처럼 생긴 해적의 명령에 따라 소소생을 향해 사방에서 달려들었다.

"으, 징그러! 아니 저는 천하제일 해적이 아니라……."

소소생이 이번에도 놀라서 쏜 불꽃에 서묘 한 마리가 통구이가 되자 서묘들은 전의를 상실하고 주인의 뒤로 숨어 버렸다.

당장 내려오지 못해!
크아
네! 네!
이 자리가 탐나시면
드릴게요.
절레 절레
가라! 청구인!!
슈우우우욱
펑
아
함
펑
펑!
썅생!
네가 천하제일 이렷다!

펑
찌—익
쥐우욱
손산생! 받아랏!
펑!
슈욱
크아아아악
두
렁!

"소소생! 네가……."

"예, 예, 접니다. 자, 어서 오세요. 빨리 끝내고 쉬세요."

이번엔 등에 커다란 바위를 지고 온 해적이었다. 그 바위에는 구멍이 뚫려 있었는데, 자세히 보면 바위가 아니라 바위처럼 단단한 등껍질을 가진 천량이라는 괴물이었다. 천량은 입처럼 훤히 뚫려 있는 구멍에서 음식을 뱉어 내곤 했는데 그는 그 음식으로 요기를 하고 남은 뼈다귀를 들고 소소생의 앞에 섰다. 커다란 뼈다귀에 소소생은 잠깐 겁에 질렸지만 그 해적도 결국 새카맣게 그을린 채 소소생 앞에 고개를 조아릴 뿐이었다.

단 며칠 만에 수많은 해적들을 굴복시킨 천하제일 해적 소소생의 이야기는 부풀려져 각지의 해적들에게 퍼졌다.

"아, 나도 모르겠다. 어차피 이번 생은 망했어."

소소생은 될 대로 되라는 마음으로 찾아오는 해적들을 빠르게 상대하고 쉬기라도 해야겠다고 결심했다. 철불가도 이제 안정적인 부하 체계를 구축하여 패배한 해적들에게 빠르게 부하 서열을 매기고 일을 시켰다. 곧 철불가는 이 일마저 은산호에게 맡기고 놀기 시작했다.

소소생이 패배한 해적들을 모두 부하로 받아들이니 흑삼치의 해적단과 비슷할 정도로 세가 불어났다. 해적들은 모두 신기한 재주가 있었기에 마귀침은 그들의 특기를 살피고 그에 맞춰 할 일을 분담했다.

대머리 해적은 청구인을 미끼로 물고기를 낚아 왔고, 천량을 부리는 자는 음식을 끊임없이 제공했으며, 바느질을 잘하는 자는 매번 불타서 없어지는 소소생의 옷을 지었다. 마귀침, 은산호는 이수약우와 함께 밭을 갈았다.

해적들은 천하제일 해적의 말이라면 그저 감복해 최선을 다해 일했다. 그 덕에 또다시 철불가만 돈방석에 앉았다. 철불가는 유유자적 황금 의자에 한쪽 다리를 걸치고 거의 누운 자세로 앉아 술과 고기를 축냈다.

"소소생아, 진정한 두령의 능력이 어디서 보이는 줄 아니? 이렇게 놀고먹어도 일이 돌아갈 때란다. 김 대사나 이 비장 같은 것들이나 불안해서 자기 없으면 일이 안 돌아가게 깽판을 놓지만 말이야, 진정한 두령은 자기가 없어도 일이 척척 돌아가게 체계를 만든단다. 바로 나처럼 말이야. 이런 걸 자동화라고 하지. 하하하."

"철불가만 좋은 거잖아요. 난 언제 사람이 되냐고요."

"지금 네가 사람 대접 못 받니?"

"아뇨?"

"무시받고 사니?"

"아뇨……."

"그럼 사람으로 사는 거 아니야?"

"어, 그렇긴 한데……."

하여간 철불가의 말발에는 당해 낼 재간이 없었다. 아무리 그래도 이건 아니었다. 매일 결투를 벌였더니 천하제일 해적이라며 떠받드는 부하들만 늘어날 뿐. 이제는 무슨 생활 공동체처럼 오순도 순 장보고의 보물 창고에 모여 살게 되었다.

상황은 언제나 소소생의 생각과 반대로 흘러가는 것 같았다. 그리고 언제나 모든 상황을 반대로 저어 가는 사람은 철불가였다.

이젠 자신을 뭐라고 불러야 할까. 흑삼치 스스로도 알 수 없었다. 흑삼치는 서리가 내린 갑판에 서서 바다를 내려다보았다. 바다의 왕이 되고 싶었건만 김 대사 덕에 그 야망을 이룰 줄이야. 김 대사의 창고를 털고 투명한 사탕을 먹었던 날, 흑삼치는 새로운 국면에 접어들었다. 고작 사탕인 줄 알았거늘.

"흑삼치 님, 수군이 공격해 오면 어찌하실 생각이십니까."

뒤에서 산만이가 물었다. 덩치가 산만 하다 하여 산만이였는데 얼음 요괴가 되자 덩치가 더욱 커졌다. 이제는 두꺼운 얼음 갑옷까지 걸쳐 걸어 다니는 빙산처럼 보일 정도였다.

"기다리고 있는 바다. 되도록 한 번에 많이 처들어오면 좋겠군. 한 방에 끝내는 게 피차 편할 것 아니냐."

"과연 흑삼치 님이십니다."

이번엔 수북이가 말했다. 수북이는 턱에 뾰족하고 거대한 고드름이 창살처럼 잔뜩 돋아나 있었다. 인간 시절의 수북한 턱수염이 지금은 위협적인 무기로 변해 있었다.

"흑삼치님, 새로운 이름이 필요하지는 않으십니까? 좀 더 지금의 모습에 걸맞는 이름이요."

언제나 과묵했던 돌주먹이 웬일로 길게 입을 열었다. 돌주먹은 입 대신 주먹으로 말했다. 그는 흑삼치가 가장 신뢰하는 부하였다. 돌주먹은 얼음 요괴가 된 후 돌처럼 단단했던 주먹이 거대한 얼음 덩어리로 변했다. 아무리 부수려고 해도 끄떡없는 얼음 주먹은 한 번만 휘둘러도 파괴력이 엄청났다.

"인간들은 흑삼치 님을 얼음 도깨비라고 부르는 것 같습니다."

산만이가 말했다.

"……."

흑삼치의 대답을 기다리는 건 얼음 요괴가 된 돌주먹과 수북이, 산만이만이 아니었다. 흑삼치가 탄 얼음 해적선 뒤에는 인간 시절 이끌었던 부하들이 해적선을 몰고 뒤따르고 있었다.

흑삼치의 옆으로 온몸이 시퍼런 얼음으로 덮인 네발짐승이 뛰어올랐다. 얼음 도깨비가 된 흑삼치가 직접 얼음 괴물로 만든 천모호였다. 천모호가 어디서도 들어본 적 없는 끔찍한 소리를 지르며 포효했다. 흑삼치는 천모호의 울음소리가 제법 마음에 들었다.

"하찮은 인간들이 뭐라 하든 중요치 않다. 우리에게 중요한 건 지금 이 힘이지. 온 세상을 벌벌 떨게 할 수 있는 힘!"

흑삼치가 한기가 느껴지는 미소를 지었다. 해적 두령이 된 후 살육을 즐기는 심성을 억누르며 가급적 목적에 맞지 않는 한 죽이지 않으려 애썼다. 그러나 지금은 아무것도 신경 쓰지 않고 본능대로 죽여 버릴 수 있었다. 김 대사도, 이 비장도, 꼴 보기 싫은 철불가도. 이젠 동해를 지키려고 애쓸 필요도 없었다. 아무도 대항할 수 없는 힘이 있었기에.

얼음 칼이 된 철살도에 더욱 많은 인간의 피를 맛보게 해 줄 것이다. 푸르게 빛나는 철살도의 칼날을 시뻘건 피로 물들이리라.

"온 세상을 얼려 버리고, 우리 발아래 둘 것이다."

얼음 요괴들은 흑삼치의 뜻에 따라 배의 속력을 높였다. 얼음 도깨비 해적단은 김해경으로 향했다.

4

"그자는 어디 있는가?"

이 비장이 부하에게 물었다.

"이쪽입니다."

부하가 이 비장을 관청 감옥으로 데려갔다. 감옥에는 웬 거적때기를 걸친 놈이 널브러져 자고 있었다.

"저놈은 뭐냐?"

"술집에서 행패를 부리던 자입니다."

"우리가 언제부터 저런 주정뱅이들까지 거두었느냐. 어서 내치거라."

부하는 주정뱅이의 옆 감옥을 가리켰다.

"예. 그리고 비장께서 보셔야 할 자는 저 옆에 있사옵니다."

그곳에는 넋이 나간 듯 오들오들 떨고 있는 사내가 앉아 있었다. 푹푹 찌는 더위에도 두꺼운 겨울옷을 껴입고 있는 사내였다.

'정신이 나간 자인가.'

이 비장은 혀를 끌끌 찼다.

"장동이 아니잖느냐. 다시 찾아보거라."

"한데 저자가 하는 말을 들어 보십시오. 거리에서 정신이 나가 헛소리를 하고 있었는데 그 내용이 심상치 않았습니다."

"불 도깨비 이야기라도 하더냐?"

"아닙니다. 하지만 그보다 더 이상한 이야기였습니다. 분명 뭔가 연관이 있을 듯하여 잡아 왔습니다."

"그래?"

이 비장은 부하에게 감옥 문을 열게 했다. 이 비장이 감옥에 들어왔음에도 사내는 허공을 응시하고만 있었다. 사내는 아주 작게 입술을 달싹이며 무어라 웅얼거렸다.

"뭐라? 무어라 하는 게냐?"

"추워요. 추워……."

"오뉴월 더위에 뭐가 춥다는 것이냐?"

"얼음 도깨비가 몰려옵니다……. 눈서리가 내리고 바다에서…… 얼음 기둥이……."

이 비장은 얼음 도깨비라는 말에 멈칫했다. 부하에게 나가 있으라고 손짓을 한 뒤 사내에게 다시 물었다.

"얼음 도깨비라고 하였느냐? 네가 직접 본 것이냐?"

얼음 도깨비라니. 예상치 못했던 말이 튀어나오자 이 비장은 빠르게 머리를 굴렸다. 분명 불 도깨비가 된 소소생을 추적하라 일렀는데 얼음 도깨비를 보았다고 말하는 자가 발견됐다. 불 도깨비와 얼음 도깨비가 동시에 출현했다니. 어쩌면 김 대사가 장동을 시켜 만든 것과 연관이 있을지도 모른다.

사내는 한동안 굳게 입을 다물고 있다가 다시 입을 열었다.

"얼음 도깨비가 동료들을…… 전부 얼려서 죽였습니다……."

사내는 실성한 것이 아니었다. 믿지 못할 말을 해서 사람들이 실성했다고 생각했을 뿐, 사내의 말은 참말처럼 들렸다. 얼음 도깨비가 내뿜는 지독한 추위를 겪은 이후 한기가 가시지 않아, 겨울옷을 꺼내어 겹쳐 입고 있는 것이었다.

사내는 새벽에 동료들과 고기를 잡으러 나갔다가 얼음 도깨비를 만나 달아났다고 했다. 그는 천운으로 살아남아 해변에 닿자마자 얼음 도깨비를 피해 발이 부르트도록 달리고 또 달렸다. 김해경에서 최대한 멀리멀리 달아나려 했다. 그러다 사포까지 온 것이다.

"얼음 도깨비는 어떻게 생겼더냐? 얼굴은?"

"히익!"

이 비장이 묻자 사내는 온몸을 떨었다.

"진정해라. 얼음 도깨비는 이곳에 오지 못한다. 감히 그런 천것이 관청까지 올 수 있겠느냐? 그놈의 얼굴을 봤난 말이다."

사내는 순식간에 얼음 도깨비를 마주한 그 순간으로 돌아간 듯했다. 눈앞을 가리며 어지러이 휘날리던 눈발, 멀리서 들려오는 외마디 비명과 직후에 찾아오는 정적, 감각이 무뎌지고 살을 에는 차가운 바람, 그리고 사내를 응시하는 형형하게 빛나는 기이한 푸른 눈.

"눈보라 속에서 부, 분명히 보았습니다."

얼음 도깨비와 눈을 마주쳤다간 심장까지 얼어붙을 것 같아 사내는 고개를 돌렸다. 지금도 그때 느꼈던 추위와 두려움이 생생했다. 짐승 같은 얼음 괴물이 사내를 쫓아왔지만 무슨 영문인지 이내 발길을 돌려 얼음 도깨비에게 돌아갔다. 그러지 않았다면 사내는 얼음 괴물의 밥이 되었을 것이다. 괴물을 타고 돌아가던 얼음 도깨비의 머리에서 사내는 분명히 그것을 보았다.

"머리에…… 물고기 문신이 있었습니다……."

머리의 절반만 삭발하여 드러난 피부에 새겨진 그림은 분명 검은색 물고기 문신이었다.

"그리고 사나운 짐승도 부렸습니다. 호랑이처럼 몸집이 크고 창처럼 뾰족한 이빨을 가진 놈이었습니다……!"

이 비장의 낯빛이 순식간에 어두워졌다. 이 비장은 다급히 사내에게 말했다.

"절대 어디 가서 이 사실을 발설하지 말거라. 너는 곧 집으로 돌려보내 주마."

이 비장은 감옥을 나가 부하를 다시 불러들였다. 그리고 부하에게 이렇게 일렀다.

"저놈에게 따뜻한 국밥을 먹여라. 고기도 듬뿍 넣어서."

"예?"

이 비장은 서늘한 눈빛으로 감옥에 갇힌 사내를 돌아보았다.

"그리고 죽여라."

"……예."

잠시 후 이 비장의 부하가 사내에게 고깃국을 가져다주었다.

"고깃국이다. 푸지게 먹어라."

"예? 이것을 정말 저에게 주시는 겁니까?"

"그래. 비장께서 네놈이 몸을 덜덜 떠는 걸 보시더니, 오한이 든 것 같다며 뜨끈한 고깃국을 먹이라 하셨다."

"감사합니다……!"

사내는 부하가 철창 사이로 가져다준 고깃국을 허겁지겁 먹기 시작했다. 부하는 사내가 먹는 것을 보고는 감옥을 나갔다.

그때 옆 감옥에 대 자로 뻗어서 자고 있던 주정뱅이가 스르륵 일어났다.

"여보오. 여보오."

주정뱅이가 벽을 두드리며 사내에게 말을 걸었다. 사내는 낯선 이가 말을 걸자 잔뜩 경계하며 목을 움츠렸다.

"고깃국 다 드셨소?"

"무, 무슨 일이오?"

사내는 귀한 고깃국을 빼앗길세라 사발을 끌어안았다.

"거 안 뺏어 먹으니 걱정 마시오. 다 먹었으면 이제 나갑시다."

"예?"

"못 알아들었소? 여길 나가자고요."

주정뱅이의 목소리가 어쩨서인지 옆 감옥에서 나오는 것이 아니라 철창 앞에서 들렸다. 고개를 돌려 철창 문을 보니 주정뱅이가 서 있었다.

"당신은 누구요?"

사내가 깜짝 놀라 물었다. 누더기를 걸친 주정뱅이인 줄 알았는데 자세히 보니 아주 훤칠하게 생긴 청년이었다. 피부는 도자기처럼 윤이 났고 익살스러운 표정에, 얼굴에는 소년스러움이 남아 있었다. 거무스름한 얼굴에는 어느 부족의 문양인지 화장인지 하얀색으로 칠을 해 놓았는데, 그 형태는 딱 한 번 보았던 범고래를 연상시켰다.

"시간이 없소. 이 비장이 아저씨에게 고깃국을 준 이유는 이거 먹고 죽으라는 거라고요. 그러니 어서 나갑시다."

"이 비장이 왜 나를 죽인단 말이오?"

"그야, 그쪽이 얼음 도깨비를 봤으니까. 그리고 이 비장은 그쪽이 말한 얼음 도깨비가 누군지 알아냈으니까."

"그게 대체 무슨 말이오?"

"설명할 시간이 없으니 조용히 따라오시오."

범이가 찡긋 한쪽 눈을 감으며 웃었다.

얼음 도깨비와 불 도깨비에 대한 소문을 모으던 범이의 귀에 사포에서 실성한 사내의 이야기가 들려왔다. 얼음 도깨비 이야기를 하던 놈이 관청에 잡혀갔다고 했다. 이를 미심쩍게 여긴 범이는 감옥에 잠입해 감방에 드러누워 있던 주정뱅이를 끌어냈다. 그리고 그 자리에 누워 주정뱅이로 위장하고 기다린 것이다.

범이가 덜그럭덜그럭 감옥의 열쇠 구멍에 가느다란 꼬챙이를 넣고 몇 번 돌리자 철커덕 하고 감옥 문이 열렸다.

"자, 됐습니다."

범이는 사내를 데리고 관청 감옥을 빠져나왔다. 다행히 감옥을 감시하는 병사들의 수가 꽤 조촐해 범이에겐 식은 죽 먹기였다. 범이는 병사들이 보초를 교대하는 빈틈을 노려 사내를 데리고 비교적 순조롭게 탈출했다.

둘은 완전히 관청을 벗어나 외진 골목에 도달해서야 발을 멈췄다. 범이는 사내가 이곳을 벗어나 한동안 끼니를 해결할 수 있을 만큼의 재물을 주머니에 담아서 건넸다.

"여기서 최대한 멀리 달아나세요. 좀 괜찮아지거든 그 겨울옷부터 벗으시고요."

이러한 당부도 잊지 않았다.

"그리고 절대, 어디 가서 얼음 도깨비를 보았다고 말하지 마세요. 관군들 조심하시고요."

사내는 고개를 끄덕이고는 주머니를 꼭 쥐고 달아났다.

'저자는 분명 얼음 도깨비의 머리에 물고기 문신이 있다고 말했다. 그렇다면 그건 아마 흑삼치……. 하지만 대체 어떻게 흑삼치가 얼음 도깨비로 변했단 말인가. 이 비장이 저자를 죽이려 했다는 건 흑삼치가 얼음 도깨비라는 사실을 은폐하려 했다는 뜻. 즉, 이 비장과 김 대사가 얼음 도깨비와 관련이 있다는 소리다.'

여기까지 생각하자 범이는 마음이 조급해졌다. 흉포하고 살생을 즐기는 흑삼치가 얼음 도깨비 같은 괴물까지 되었다면 정말로 큰 일이었다. 이 사실을 속히 고래눈 형제에게 알려야 했다. 범이는 바다에 숨겨 둔 해적선으로 달려갔다.

"두령, 이것을 받아 주십시오."

털보와 해적들은 매일 소소생에게 바칠 금은보화를 가져왔다. 바칠 게 없으면 예쁜 야생화라도 꺾어다 바쳤다. 소소생이 제발 그러지 마시라고 손사래를 쳤지만 부하들은 조금도 듣지 않았다. 날이 더해 갈수록 장보고의 보물 창고에는 재화가 그득그득 쌓여 갔다.

"두령! 두령!"

어느 날은 털보와 마귀침의 외침이 적굴암에 울려 퍼졌다. 두 사람은 헐레벌떡 달려와 맨바닥에 앉아 있는 소소생 앞에 섰다.

"왜 그러세요?"

소소생이 물었다.

"두령, 어째서 황금 의자에 저자가 앉게 두십니까?"

마귀침이 분노의 콧김을 씩씩 뿜었다. 황금 의자에 앉아 있는 자는 철불가였다.

"여, 왔어?"

철불가가 해적들이 바친 고급 술을 마시며 인사했다.

"원래 저런 사람이니 신경 쓰지 마세요. 그런데 무슨 일이 생겼나요?"

털보가 말했다.

"두령의 옷을 새로 짓다가 마귀침과 제가 이런 걸 발견했습니다. 버리려고 하는 것을 제가 가져왔는데……."

아무리 어리게 봐도 삼촌뻘인 털보가 지나친 존댓말을 쓸 때마다 소소생은 마음이 불편했다. 그러지 말라고 해도 모두가 소소생을 떠받들고 극존칭을 썼다.

"혹시 두령의 물건인지요."

마귀침이 주머니에서 고래 풍탁을 꺼내서 보여 주었다.

"아니, 이게 언제 떨어졌지?"

소소생은 풍탁을 두 손으로 소중히 받았다. 요새 몸에서 불을 뿜는 일이 잦아지니 풍탁도 타 버릴까 봐, 가끔 몸에서 떼어 두곤 했다. 그러다 깜빡하고 다시 챙기지 않았던 걸까. 고래눈이 준 소중한 물건을 흘렸다는 사실에 소스라치게 놀랐다. 지귀가 된 것에 취해서 가장 소중한 것을 놓친 것만 같았다.

"고맙습니다! 이건 제 목숨만큼 소중한 물건이거든요. 찾아 줘서 정말 고마워요."

소소생이 털보와 마귀침에게 말했다.

"그런 귀한 물건을 감히 우리 따위가 버릴 뻔했다니! 저 자신을 용서할 수 없습니다!"

털보가 가슴팍을 때리며 분개했다.

"아니에요! 아니에요! 덕분에 잃어버릴 뻔한 걸 찾았으니 괜찮아요!"

소소생이 놀라서 털보의 손을 잡고 말렸다.

"두령, 그렇게 소중한 것이라 하시니 저희가 더 멋지게 만들어 드리겠습니다."

"좋은 생각이에요, 아저씨."

마귀침이 털보에게 말했다.

"멋지게 꾸며서 가져다드리겠습니다."

마귀침과 털보는 고래 풍탁을 가지고 적굴암을 나갔다.

다음 날 마귀침과 털보는 눈이 퀭해져서 소소생을 찾아왔다. 그 뒤에는 소소생의 부하가 된 이들이 무리를 이루어 서 있었다. 하나같이 터덜터덜 걷는 것이 극한 노동에 시달리다 온 모양이었다. 심지어 은산호마저 눈밑이 그늘진 것처럼 어두웠다.

"아니, 얼굴이 왜 다 그 모양이에요?"

"두령에게 작은 선물을 하려고 밤을 좀 새웠거든요."

은산호가 앞에 나서서 말했다.

"예?"

"두령, 저희가 의논한 바, 이제껏 두령처럼 겸손하고 아량이 깊은 해적은 없었다는 결론을 내렸습니다. 게다가 우리를 죽이지 않고 이렇게 거두어 주신 것 또한 멋지기도 하지만, 평생 노동의 굴레를 벗어나지 못하게 한다는 점에서 최고로 극악무도한 해적다웠습니다."

이번엔 마귀침이 말했다. 철불가는 옆으로 누워서 술을 홀짝이며 그들이 하는 짓을 지켜보았다.

"이에 저희 부하 일동은 두령에게 이것을 바칩니다."

은산호가 대표로 소소생에게 무언가를 건넸다. 지휘봉이었다. 그냥 지휘봉도 아니고 고래 풍탁에 기다란 막대를 이어 붙이고 비단으로 동여맨 뒤, 금실과 은실로 엮은 지휘봉이었다. 게다가 비단벌레의 날개를 이용해 번쩍번쩍 윤이 나는 멋진 문양도 수놓여 있었다. 푸른색, 보라색, 노란색이 오묘하게 빛나는 비단벌레 날개에 글자가 하나씩 새겨져 있었는데 읽어 보니 이러했다.

"삼면총해적주三面總海賊主?"

소소생이 물었다.

"동해, 남해, 서해, 모든 바다와 모든 해적들의 주인이라는 뜻입니다. 소소생 님처럼 위대한 해적은 이전에도 이후로도 없을 터이니, 가장 높은 해적의 칭호를 바치고자 합니다. 소소생 님은 그냥 해적도 아니고 괴물적이 아닙니까! 그러니 삼면총해적주라는 호칭을 받아 마땅합니다!"

은산호와 마귀침이 동시에 말하고는 거듭 무릎을 꿇었다. 다른 해적 부하들도 그들을 따라 소소생에게 무릎을 꿇었다.

"아니, 너무 과한데."

소소생은 심히 부담스러웠다.

"너무 너무 고마운데요, 지휘봉도 멋있고. 그렇지만 이걸 만든다고 밤까지 새울 필요는……."

소소생을 떠받드는 해적들의 충심은 왕을 섬기는 귀족들이 본받아야 할 정도로 순수하고 열렬했다. 소소생은 자기가 이런 과분한 대접을 받아도 되는 걸까 고민하며 마지못해 지휘봉을 집어 들었다.

지휘봉을 흔들자 고래 풍탁에서 청아한 종소리가 났다.

"고맙습니다. 다들 이런 과분한 것을 선물해 주시고. 저는 아무 것도 드릴 것이 없는데."

소소생의 인사를 들은 해적들은 이런 인품이 하늘 아래 또 어디 있냐며 감복해 눈물까지 흘렸다.

마귀침이 이번엔 철불가에게 말했다.

"우리의 괴물적 소소생 님의 첫 번째 부하 철불가 님 또한 삼면총해적주의 이인자로 인정하오니 저희 마음을 받아 주십시오."

마귀침은 철불가에게 금으로 만든 술잔과 술병을 바쳤다.

"후후, 그렇지 그렇지. 너희들이 진정한 충심을 발휘하는구나. 이제부터 너희를 백적계라고 칭하겠다! 머릿수는 몇 안 되어도 충심은 백 명의 해적이라 할 만하지 않겠느냐! 하하하! 이제부터 나는 백적계의 수장 철불가, 소소생은 삼면총해적주 괴물적이다!"

철불가는 불쾌한 얼굴로 마귀침의 선물을 받아들었다. 술병과 술잔에는 낙서처럼 휘갈긴 글씨체로 이렇게 새겨져 있었다.

'노인네 아님. 고전 미남 인정.'

5

이 비장은 허탈한 얼굴로 빈 감옥을 보았다. 사내가 사라질 줄은 꿈에도 몰랐던 것이다.

“관청이 이렇게 아무나 들락날락할 수 있었단 말이냐! 탈옥이라니! 대체 네놈들은 그동안 뭘 한 게냐?”

이 비장은 병사들에게 화를 냈지만 돌아올 답은 뻔했다. 김 대사가 병사들의 녹봉을 빼돌리느라 감옥을 밤새 지킬 수 없을 정도로 보초가 부족했던 것이다. 심지어 그나마 자리를 지키는 병사들도 김 대사 집안의 잡일에 동원되기 일쑤여서 관청의 병력은 턱없이 부족했다.

이런 은밀한 일에 도가 튼 자는 단 한 명. 사내의 말대로라면 흑삼치는 얼음 도깨비가 되었으니 아닐 테고, 소소생의 명성은 대단하지만 불 도깨비의 몸으로 불을 지르지 않고 이렇게 조용히 넘어

가지는 않았을 것이다. 철불가는 애초에 남이 어떻게 되든 관심 없을 인간이고.

"남은 건 고래눈뿐이군. 고래눈이 놈을 빼돌린 게야. 고래눈까지 얼음 도깨비를 쫓고 있단 말인가. 빌어먹을."

이 비장은 투덜거리며 김 대사의 집으로 가서 이 사실을 보고했다. 김 대사는 화려한 문양이 빼곡하게 수놓인 비단옷을 입고 있었다. 그는 불안할 때마다 새 옷을 지어 입는 것으로 화를 풀곤 했는데, 눈이 시릴 정도의 화려한 문양으로 보아 불안함이 극에 달한 듯했다.

"관청에 가둔 자가 도망쳤다던데 사실인가, 비장?"

김 대사가 얇실한 콧수염을 만지작대며 추궁하였다.

"면목 없습니다."

"실성한 놈이 어떻게 감히 관청에서 감쪽같이 도망을 친단 말이냐? 얼마나 보초를 대충 섰으면 그래? 요새 군 기강이 많이 흐트러진 거 아닌가?"

'김 대사 네놈이 병사들 수를 줄이고 뒷주머니만 안 찼어도 이런 일은 없었을 거다. 남은 병사들로 감옥을 지켜도 모자랄 판에 병사들을 불러서 네놈 집에서 나무 심기, 장작 패기 따위를 시켜?'

이 비장은 안면 근육이 뒤틀리는 것을 꾸욱 참았다. 대신 살살 웃으면서 자초지종을 설명했다. 얼음 도깨비를 보고도 살아남아 실성한 자인데, 아마 고래눈이 탈출하도록 도왔을 것이라고 말이다. 김 대사가 어리둥절한 얼굴로 물었다.

“고래눈? 고래눈이 왜?”

“그자의 말로는 얼음 도깨비의 정체가 (여기서 이 비장은 극적인 효과를 위해 한숨을 쉬고 낮은 목소리로 말했다.) 흑삼치라고 합니다. 얼음 도깨비가 백성을 괴롭힌다는 소문에 고래눈이 움직인 것 같습니다. 우리 수군의 일을 방해하고 같잖은 의적질이나 하려고 말입니다.”

“빌어먹을. 일이 꼬였구나.”

김 대사는 식은땀을 흘렸다. 사안이 심각했다. 김 대사는 얼마 전 장동을 찾아갔을 때를 떠올렸다.

그는 장동을 찾아가 세상에서 가장 강력한 괴물을 만드는 약을 지어 달라고 했다. 김 대사의 해괴하고 위험한 부탁을 들은 장동은 일언지하에 거절하였고, 그는 이 비장을 시켜 장동을 납치하였다. 김 대사는 장동을 지하 보물 창고에 가두고 말했다.

“약을 만들 재료는 무한 제공할 것이다. 다만, 너의 목숨은 유한할 것이니 서둘러야 할 것이다.”

그러고 며칠이 지나지 않아 장동이 무언가를 만든 게 분명했다. 하지만 김 대사는 그게 정확히 어떤 괴물을 만드는 약인지, 어떻게 생겼는지조차 알지 못했다. 장동이 그것을 완성하고도 알리지 않았던 것이다. 그러다 흑삼치가 지하 비밀 창고를 털었고 그때 장동도, 그가 만든 약도 사라지고 말았다.

“어떤 연유로 그렇게 되었는지는 모르겠으나, 흑삼치와 소소생이 장동이 만든 약을 먹은 것 같다. 그래서 괴물이 된 것이겠지. 흑

삼치는 얼음 도깨비가 되어서 바다를 공격하고, 소소생은 불 도깨비가 되어서 어딘가로 사라지고."

"그리고 고래눈이 이를 캐고 있고요."

이 비장이 보탰다.

고래눈이 추적을 시작했다면 김 대사가 벌인 일이 곧 만천하에 드러날지도 모른다. 김 대사가 장동을 납치해 위험한 계략을 꾸민 것도 모자라 괴물을 만들어 세상을 어지럽힌 게 들통난다면, 정치 생명이 끝나는 것은 물론 심하면 반역죄로 엄히 다스려질지도 모를 일이었다.

김 대사가 생각에 잠긴 사이 이 비장이 말을 이어 갔다.

"그동안 조사한 바에 따르면, 박 한찬이 쉬쉬하고는 있으나 그자가 다스리는 지역의 전함이 얼음 도깨비에게 완전히 당했다고 합니다. 배가 빙산에 갇힌 것처럼 얼어붙고, 꽁꽁 언 사람들이 김해경에 떠밀려 왔다고……."

"잠깐, 빙산이라고?"

김 대사가 세 줄로 접히는 턱을 쓰다듬으며 후추 열매처럼 작은 눈알을 이리저리 굴렸다. 무언가 약삭빠르고 못돼 처먹은 생각을 하는 게 분명했다. 김 대사는 계산이 다 섰는지 이내 환한 미소를 지었다.

"얼음 도깨비라니. 하하하! 어쩌면 이걸로 서라벌에 입성할지도 모르겠구나! 하늘이 도우신 게야!"

"예?"

"서라벌 석빙고에 얼음이 동났다는 소문 못 들었느냐? 이렇게 얼음이 귀한 시기에 얼음 도깨비를 잡아다 바친다면 어떻겠어? 얼음 도깨비가 끊임없이 얼음을 만들어 낸다면 왕께서 얼마나 좋아하시겠냔 말일세! 난 역시 머리가 좋단 말이야. 그렇지, 비장?"

"예! 참으로 머리가 비상하십니다."

비장이 미소를 지었으나 속에선 부아가 치밀었다. 얼음 도깨비가 박 한찬의 수군을 전멸시킨 것을 들었는데, 어찌 병사들과 자신이 그놈을 잡을 수 있단 말인가. 게다가 이 망할 인간은 이 비장과 병사들의 목숨을 대가로 얼음 도깨비를 잡아 서라벌에 입성할 생각을 하다니. 혀끝에 욕이 대롱대롱 매달렸으나 이 비장은 이번에도 꾹 참았다.

"어서 얼음 도깨비를 잡으러 가게! 불 도깨비는 이제 신경 쓰지 말고 얼음 도깨비를 잡는 데에 전력을 다하도록 해. 얼음 도깨비라면 서라벌 석빙고를 얼음으로 꽉꽉 채울 수 있겠지. 이놈의 힘으로 박 한찬도 언제든지 죽여 버리고 말이야! 하하하하. 비장, 박 한찬이 찾기 전에 먼저 잡아야 하네. 서두르게!"

"맡겨만 주십시오, 대사."

이 비장은 속에도 없는 말을 하고는 김 대사의 집을 나왔다.

'네놈이 또 염병이 도졌구나. 절대 그렇게 두지 않을 테다.'

김 대사가 그렇게 나온다면 이 비장에게도 생각이 있었다. 이 비장은 걸음을 재촉했다.

"맡겨만 주십시오, 두령."

소소생에게 백적계 부하들이 몰려와 한목소리로 말했다.

"예?"

"무엇이든 맡겨만 주시면 해낼 수 있습니다. 삼면총해적주로서 큰일을 벌여야 하지 않겠습니까."

마귀침이 말했다.

"지금까지는 저 얼굴로 먹고 사는 놈팡이 같은 철불가가 두령님의 오른팔이라고 하여 저자가 시키는 대로 다 하였습니다. 그저 이 모든 것이 해적으로서 아주 못된 짓을 저지르기 위해 하는 수련이라고 여겼습니다. 이제 때가 되었으니 명을 내려 주십시오."

"위대한 삼면총해적주의 명이라면 파사국*에 가서 사자를 잡아 올 수도 있고 천축국**에 가서 코끼리도 잡아 올 수 있습니다."

"피를 본 지가 오래돼서 몸이 근질근질해 죽겠어요."

털보와 은산호도 말했다.

"어떤 것이든 따를 수 있다고? 정말이에요? 아무리 어려운 명령이어도?"

소소생의 물음에 백적계 부하들은 한마음 한뜻으로 외쳤다. 이수약우까지 코를 들어 올려 뿌우우우- 소리를 냈다.

---

* **파사국**: 페르시아로, 지금의 이란을 가리킨다.

** **천축국**: 지금의 인도를 가리킨다.

"네, 두령!"

"제 명령은 딱 세 가지예요. 하나, 들고 있는 무기를 버리세요."

소소생의 명령에 해적들은 어리둥절했으나, 즉각 무기를 땅에 내려놓았다.

"둘, 몸을 뒤로 돌리세요."

해적들은 소소생이 가리키는 곳을 향해 일제히 몸을 돌렸다.

"셋, 나가서 두 번 다시 돌아오지 마세요."

"예? 두령! 그게 무슨 뜻입니까?"

"두령, 설마 우리를 버리시는 거요?"

해적들이 외치자 소소생이 굳건한 얼굴로 말했다.

"이제부터 해적질을 그만두고 성실하게 살아가세요. 다신 여기

오지 마시고요. 제 명령은 뭐든지 듣겠다면서요."

"역시 위대하신 삼면총해적주님! 이렇게 훌륭한 명령은 처음 들어 봤습니다!"

"우리 같은 천한 것들이 감히 높고 깊은 두령의 뜻을 알 리가 없잖은가. 그저 하란 대로 하면 된다!"

"삼면총해적주 괴물적님의 뜻대로 여기를 나가자!"

마귀침과 털보, 은산호가 앞장서서 적굴암을 나가자 다른 백적계 부하들도 차례로 동굴을 나갔다.

"엥? 진짜 간다고?"

술이나 마시며 유유자적 누워 있던 철불가가 벌떡 일어났다.

"설마 아주 가는 건 아니지? 응? 다시 돌아올 거지?"

"무슨 소리! 위대하신 두령님의 말씀을 어길 수는 없지!"

철불가가 앞을 막아섰지만 해적들은 단호하게 말하며 철불가를 옆으로 치웠다. 이수약우까지 지면을 쿵쿵 울리며 동굴을 나가자 철불가는 해적 무리의 선두에 있는 마귀침과 은산호에게 달려갔다.

"이봐, 쌍둥이 해적! 너희는 내 바로 아래 부하였으니까 너희한테만 일러 둘게. 우리 두령께서 말은 저렇게 하시지만 나중에 너희를 다시 부를지도 몰라. 그러니까 삼면총해적주 지휘봉을 보면 다시 모이기로 하자. 알았지?"

철불가가 미련을 거두지 못하고 매달렸지만 은산호와 마귀침은 눈길도 주지 않고 적굴암을 나가 버렸다.

철불가는 당장 소소생에게 달려갔다.

"소소생! 이게 무슨 짓이야? 백적계 녀석들을 돌려보내면 누가 내 수발을 드냐고."

"그래서 돌려보냈어요. 철불가의 술 시중이나 들기엔 너무 아까운 인재들이라고요. 저렇게 젊고 창창하고 순진한 사람들이 해적이 됐다니 안타깝잖아요. 이제라도 돌아가서 자기들 인생을 살았으면 좋겠어서 저 명령을 내린 거예요."

"소소생 네가 지금 무슨 짓을 한 건지 아니? 대량 불법 해고를 저지른 거라고! 이렇게 갑자기 해적단에서 잘라 버리면 앞으로 저 많은 해적들이 어디서 노략질을 하면서 먹고 살겠니? 당장이라도 그들을 불러들이렴. 응? 아직 바다 멀리 가진 않았을 거야. 귀찮으면 내가 불러올까?"

철불가가 궤변을 늘어놓아도 소소생의 마음은 변하지 않았다. 소소생은 백적계 두령으로 살고 싶지 않았다.

"전 나갈 거니까 철불가는 계속 여기 숨어 계세요. 지귀가 아니라 사람으로 사는 법을 찾아 떠날 거예요."

그때 뒤에서 낯익은 목소리가 들렸다.

"소소생? 철불가? 역시 둘이 맞았군요!"

범이였다. 범이 뒤에는 고래눈도 서 있었다.

소소생은 고래눈을 보자 심장이 두근두근 뛰고 너무 떨려서 눈을 마주칠 수가 없었다.

"이야! 오랜만이다, 범이야! 오랜만이네, 고래눈! 자네들도 우리 부하가 되려고 온 거지? 마침 아주 잘 왔어. 소소생, 손님이 오셨잖니. 어서 먹을 걸 내오지 않고 뭐 하느냐. 내가 널 그렇게 야박하게 가르쳤니?"

철불가는 두 손을 비비며 눈웃음을 지었다. 소소생은 짐짓 엄한 목소리로 말하는 철불가가 얄미웠으나 그의 말이 맞다고 생각했다. 멀리서부터 오느라 고되었을 고래눈과 범이에게 무언가 맛있는 것을 대접하고 싶었다.

잠시 후 소소생은 흑삼치가 쌓아 두었던 식량과 부하들이 두고 간 음식으로 밥상을 거하게 차렸다. 부하들이 바친 음식 가운데 아주 비싼 술도 함께 올렸다.

철불가가 만면에 화색을 띠며 술병을 들었다.

"드세요, 차린 건 없지만."

소소생이 얼굴을 붉히며 말했다.

"이렇게 먼 곳까지 와 주다니 고마워. 마침 소소생이 다른 해적들을 다 잘라 버려서 일손이 부족하던 차였거든. 너희들은 특별히 내 바로 밑의 부하로 들여 줄게."

철불가는 동굴에 굴러다니는 폐지 조각을 가져와 '해적 근로 계약'을 작성하려고 했다. 범이가 철불가를 태연히 무시하고 소소생에게 말했다.

"네가 천하제일 해적이 되다니. 정말이냐?"

범이가 말했다.

"그럴 생각은 아니었는데 어쩌다 보니……."

소소생은 그리 말하면서 범이의 외관을 슬쩍 살폈다.

'이 녀석 언제 이렇게 큰 거지? 분명 저번에는 나랑 머리통 하나 차이였는데 지금은 뭔가, 엄청 커진 것 같잖아. 게다가 다리만 자랐어! 억울해! 허리만 길어질 것이지, 다리만 길어지다니! 젖살도 빠져서 코는 더 오뚝해 보이고 말이야. 잘생겼잖아? 난 아직도 키가 덜 자랐는데!'

소소생은 조바심이 나서 고래눈의 눈치를 보았다. 고래눈도 범이가 잘생겼다고 느끼면 어쩌나, 그러다 둘이 눈이라도 맞으면 어쩌나, 혼자 초조해졌다. 그때 고래눈이 입을 열었다.

"정말로 네가 지귀가 된 것이냐."

고래눈은 범이에게 얼음 도깨비의 정체를 듣고 깜짝 놀랐다. 고래눈도 흑삼치가 갑자기 사라져 버린 시기와 얼음 도깨비의 출현 시기가 일치한 것을 석연치 않게 여기던 참이었다. 말도 안 되는 일이라 생각해 차마 입에 올리지 않았을 뿐.

흑삼치가 얼음 도깨비가 되었다면 불 도깨비는 누구일까. 정말로 자신이 추측한 대로 소소생일까. 제발 그렇지 않기를 바라며 고래눈은 천하제일 해적이라는 지귀를 찾아온 것이었다.

'고래눈……. 더 멋있어지고 아름다워졌어.'

소소생은 생각에 잠긴 고래눈을 응시했다. 오랜만에 고래눈을 보자 가슴이 뜨거워졌다. 그러자 가슴 언저리에서 화르르 작은 불씨가 솟아났다.

"헛! 진짜 불 도깨비가 맞구나?"

범이가 놀라서 외쳤다.

"으앗! 이게 또 왜 이러지?"

소소생이 서둘러 자기 가슴팍을 두드려 불을 껐다. 소소생이 입은 상의에 보기 흉한 구멍이 휑하게 나서 배가 드러나 보였다. 근육이라고 하기에는 아무래도 옹색했다. 범이가 소소생의 배를 보고 피식 비웃었다. 반면, 범이의 옷 사이로 보이는 복근은 바위처럼 울퉁불퉁하게 굴곡이 졌고 무척 단단해 보였다. 소소생은 황급히 손으로 옷에 난 구멍을 가렸다.

"소문이 사실이었군."

고래눈은 두 사람의 기 싸움을 대수롭지 않게 여기며 말했다.

"어쩌다가 이렇게 된 것이냐?"

"어쩌다라뇨? 그야 지귀가 되는 사탕을 받았으니까요."

"지귀가 되는 사탕?"

"저한테 먹으라고 고래 풍탁에 넣어서 주셨잖아요. 그리고 그…… 쪽지도 같이요."

소소생은 얼굴이 터질 것처럼 빨개졌다. 고래눈의 고백 쪽지를 떠올리자 소소생은 부끄럽기도 하고 너무 좋아서 심장이 두방망이질 쳤다. 그러자 소소생의 정수리에서 샛노란 불길이 치솟아 올랐고, 적굴암 천장에 붙어 있던 애꿎은 이끼와 벌레만 태워 버렸다.

"소소생! 그렇게 수련을 했건만, 또 불 조절을 못 하고!"

철불가가 혀를 끌끌 차며 능숙하게 물이 담긴 양동이를 가져와 소소생의 머리에 뿌렸다.

"이 능력으로 삼면총해적주가 된 건가? 이야, 대단하긴 하다."

범이가 진심으로 감탄했다.

"하지만 난 이 능력이 싫어. 사람으로 돌아가고 싶다고. 재물을 많이 모으는 것도, 천하제일 해적이니 삼면총해적주니, 거창한 칭호를 얻는 것도 싫어. 평범한 인간으로 돌아가서 옛날처럼 덕담을 하면서 살고 싶단 말이야."

소소생이 말했다. 소소생은 정말로 그 옛날 사포 시장에서 덕담을 하던 시절이 그리웠다. 사람들이 재미없다고 구박하고 욕을 해도 그때가 좋았다.

"만약 인간으로 돌아갈 수 있다면 바다가 보이는 작은 산에 집을 짓고 싶어. 거기서 시장을 오가며 덕담을 하는 거지. 덕담을 하고 받은 재물로 맛있는 음식을 사서 집에 돌아가면, ……과 음식을 나눠 먹으면서 남은 하루를 보내고 싶어."

소소생이 우물쭈물하며 말했다.

"누구? 철불가?"

범이가 귀를 후비면서 물었다.

"미쳤냐? 내가 왜 철불가랑 살아?"

"그럼 철불가 말고 누구? 너 친구 없잖아."

"친구 말고!"

"그래서 누구?"

"……."

소소생이 뜸을 들이자 범이가 답답해서 가슴을 퍽퍽 쳤다.

"됐어, 말하지 마!"

"그게……. 조…… 좋아하는 사람."

"누구?"

"고래눈!"

소소생은 두 눈을 딱 감고 질러 버렸다. 물을 마시던 고래눈이 소소생의 말을 듣고 철불가에게 물을 뿜어 버렸다. 범이 또한 마시던 과일즙을 입에서 주르륵 흘렸다.

6

"고래눈 형제랑 감히 뭐가 어째? 너야말로 미쳤냐? 네놈의 그 미천한 입에서 나올 이름이 아니란 말이다. 빨리 사과드려! 고래눈 형제는 함부로 좋아해서는 안 될 고귀하고 멋진 의적이라고!"

"나 혼자 좋아하는 게 아니야! 고래눈이 먼저 고백했다고!"

"뭐?"

"아니야! 아니야! 아니야! 소소생, 그거 아니야!"

아연실색한 철불가가 두 손으로 손사래를 쳤지만 한번 입이 트인 소소생은 가을 산불처럼 거침이 없었다.

"정말이야! 고래눈이 좋다고 했단 말이야! 연정을 담은 편지는 이미 불타 버렸지만……. 편지로 곱게 싼 의문의 사탕을 먹고 내가 지귀가 된 거라고. 맞죠, 고래눈?"

소소생은 고래눈과 마음이 통한 사이라고 굳게 믿고 있었다. 말하는 동안 몸과 마음이 달아올라 소소생은 이미 인간 불덩어리가 된 상태였다.

뒤에 서 있던 철불가가 깊은 한숨을 쉬더니 독한 술을 가져와 병째로 벌컥벌컥 들이켰다.

화르르 타오르는 불길 안에서 소소생이 말했다.

"고래눈, 그 쪽지를 보고 제가 얼마나 기뻤는지 아십니까. 비록 제가 불 도깨비가 되었지만 고래눈과 함께라면 도깨비로 살아가는 것도 감수……."

"소소생, 너는 인간으로 돌아가고 싶다고 했지? 지금도 그 마음 그대로냐?"

고래눈이 소소생의 말을 단호하게 끊으며 물었다.

"네! 당연하죠. 인간이 되면 제일 먼저 고래눈과 바다를 건너서 저 멀리 여행을……."

"그렇다면 소소생, 할 말이 있다. 이건 내 진심이니 잘 들어 주었으면 좋겠다."

고래눈이 진중한 얼굴로 말했다. 별빛을 담은 듯 반짝이던 고래눈의 눈동자가 더욱 촉촉하게 빛났다.

'앗! 혹시 고백? 어떡하지? 이 순간을 기다리긴 했지만 이렇게 빨리 올 줄은! 이럴 줄 알았으면 좀 더 멀끔하게 차려입고……'

고래눈이 차갑게 말했다.

"난 지귀가 되는 사탕에 대해 아는 바가 없다."

"……예?"

"얼음 도깨비의 정체가 흑삼치라고 하니, 아마도 너에게 그 사탕을 준 것은 흑삼치 아니면 그의 부하일 거다. 왜 너를 지귀로 만들려고 했는지는 모르겠군."

"그럼 그 쪽지는?"

"쪽지도 내가 쓴 것이 아니다. 미안하지만 소소생 넌, 내게 사내로 보인 적이 한 번도 없었다."

까악까악. 적막한 적굴암 어디에선가 까마귀 울음소리가 들려오는 듯했다. 고래눈이 쐐기를 박듯이 말했다.

"소소생, 좋아하지도 않는 사람에게 고백받는 게 얼마나 황당한 일인 줄 아느냐? 그러니 다음부터는 친한 척하지 않았으면 좋겠다. 아예 바다 밖으로 가서 안 보이면 더 좋고."

소소생은 고래눈이 한 말을 들어 본 적이 있었다. 선덕여왕이 지귀에게 썩 꺼져서 다신 나타나지 말라고 지은 시의 마지막 구절이었다. 언제나 광채가 나는 듯 환하고, 고래처럼 총명하고, 무시 못할 기운이 뿜어져 나오던 고래눈은 온데간데없었다. 그저 소소생의 가슴을 찌르는 비수만이 남았다.

소소생은 처음에는 당황스럽고 어안이 벙벙했으나 점차 부끄러워졌다. 심장이 따끔따끔하더니 차갑게 식는 것 같았다. 찬물을 끼얹거나 철불가의 한심한 모습을 볼 때와는 느낌이 전혀 달랐다. 차가운 기운이 심장에서부터 손끝과 발끝, 머리끝까지 퍼지는 것이 느껴졌다. 곧 온몸에서 타오르던 불길마저 이내 훅 꺼져 버렸다. 소소생은 불에 타서 너덜너덜해진 옷을 입고 초라하게 서 있었다.

"어? 불이 꺼졌어!"

범이가 말했다.

"소소생, 그래서 내가 고백하지 말라고 했잖니……. 안타깝지만, 푸흐……, 어서 이줘버리렴."

거나하게 취한 철불가가 등잔불을 들고 비틀거리며 다가왔다. 소소생이 차이는 것을 실시간으로 목격하자 철불가는 자신의 일인 것처럼 수치스러워하며 적굴암에 있는 술을 죄다 마셔 재꼈다. 혼자 마시는 술이 더 빨리 취한다고 했던가. 잔뜩 취해 버린 철불가는 술 냄새를 후욱 풍기며 다가와 등잔불을 소소생의 팔에 가까이 가져다 댔다.

"앗, 뜨거! 뭐 하시는 거예요?"

소소생은 등잔불의 열기만으로도 화들짝 놀랐다.

"소소쉥, 너 이줴 인간이 된 모양이돠. 하하하."

소소생이 지귀였을 때는 살갗에 불이 닿아도 전혀 뜨거움을 느끼지 못했다. 그런데 지금은 불 가까이만 가도 뜨거움을 느끼니 철불가는 소소생이 사람으로 돌아왔다고 판단했다.

"감사합니다……. 고래눈의 진심을 알게 되어 덕분에 인간의 몸으로 돌아왔습니다. 고래눈의 당부대로 다시는 친한 척하지도, 눈앞에 얼씬거리지도 않겠습니다."

소소생이 침울한 목소리로 말했다. 소소생은 부하들이 고래 풍탁으로 만들어 준 지휘봉을 황금 의자에 내려놓았다.

"저는 이제 지귀도, 삼면충해적주 괴물적도 아닙니다. 이 황금 의자는 고래눈의 것입니다. 부디 잘 계세요. 그동안 감사했습니다."

소소생은 어깨를 축 늘어트린 채 터덜터덜 적굴암을 나갔다.

"소소쉥? 소소쉥?"

철불가가 혀꼬부랑 소리로 소소생을 불렀다. 철불가는 술에 취해 비틀거리면서도 언제 챙겨 놓았는지 두툼한 가방 두 개를 들고 소소생을 따라 나갔다. 폐지 조각과 백적계 부하들이 바친 재물을 담은 가죽 가방이었다.

"고래눈 형제, 정말 저대로 소소생을 보내도 괜찮으시겠습니까?"

범이가 걱정스러운 얼굴로 물었으나 고래눈은 아무 말도 하지 않았다.

"한찬, 벌써 귀족들이 하나둘 김해경을 떠나고 있습니다!"

박 한찬의 부하가 고개를 조아리고 아뢰었다.

그가 마차에 누운 채 김해경의 고급 술집을 다니는 동안 흑삼치가 이끄는 얼음 도깨비 해적단은 당포와 죽도를 장악했다. 흑삼치는 당포와 인근 바다를 한겨울의 설원처럼 만들고, 그곳을 자신의 영역으로 선포했다. 뒤늦게 달아나려던 이들은 모두 얼음 기둥이 되었고, 집에 숨어서 떨고 있던 자들은 그 상태로 빙벽이 되었다. 돌림병 소동 이후 활기를 되찾았던 당포는 다시 한번 쥐 죽은 듯 고요해졌다.

당포의 바닷길이 막히자 당포를 찾아왔던 상인들은 손가락만

빠는 신세가 되었다. 박 한찬이 뒤를 봐주는 노예 상선들과 조세를 걷어 가는 배들도 마찬가지였다.

버젓이 수군이 있는데도 얼음 도깨비 해적단의 영역은 커져만 갔고, 얼음 도깨비가 해결됐다는 소식이 없자 백성들의 원망과 불신은 높아져만 갔다. 수군 병사들 사이에서도 점점 불안감이 감돌았다.

"한찬, 얼음 도깨비들이 여기 김해경까지 접근하기 전에 막아야 합니다! 지금이라도 군사를 보내 주십시오!"

"또 그놈의 얼음 도깨비! 다 헛소리래도. 그런 헛소문보다 철불가 놈을 봤다는 소식이나 가져오란 말이다!"

박 한찬이 속 편한 소리를 지껄이자 부하의 속은 타들어 갔다. 얼음 도깨비를 본 자들이 모조리 죽어서 소문의 실체가 불분명하긴 했으나 박 한찬은 얼음 도깨비 이야기를 백성들 사이에 떠도는 뜬소문 정도로만 취급했다.

눈치 빠른 귀족들은 벌써 피난길에 올랐는데, 박 한찬은 누워서 술만 마셔 댔다. 부하들은 이러다 자신까지 죽나 싶어 차라리 약삭빠른 김 대사 쪽에 붙을까 하는 저울질까지 했다. 그때 병사 하나가 달려 들어왔다.

"사포에서 이 비장이 전갈을 보내 왔습니다."

부하가 박 한찬을 대신해 쪽지를 펼쳐 보았다. 전갈에는 '김 대사가 얼음 도깨비를 잡아서 서라벌의 석빙고를 얼음으로 채우겠다고 나대고 있으니, 박 한찬이 먼저 잡아들이길 바란다'고 적혀 있었다.

"뭐? 석빙고?"

박 한찬이 김해경에 와서 처음으로 (화장실을 갈 때 말고는 처음이었다.) 몸을 일으켜 세웠다.

"석빙고 때문에 김 대사가 얼음 도깨비를 생포하려고 한다는 것이냐?"

"그러한가 봅니다. 보십시오, 한찬. 김 대사가 움직이는 걸 보면 얼음 도깨비는 진짜 있는 게 틀림없습니다. 그러니 우리가 김 대사 측보다 먼저 움직여야 합니다. 그들이 노리는 얼음 도깨비들을 우리가 먼저 잡아 바친다면 조정에서 큰 공을 세웠다며 상을 내릴 것입니다."

박 한찬이 남은 술을 쭉 들이켰다.

"좋다. 김 대사가 잘되는 꼴을 두고 볼 수는 없지."

박 한찬의 부하는 도무지 이해할 수 없었다. 자기 잘되는 걸 위해서는 한없이 게으른 자가 남 잘되는 꼴은 못 봐서 움직이니 말이다. 그러나 그는 잠자코 박 한찬이 나불대는 소리를 들었다.

"진짜든 아니든 병력을 총동원해서 김 대사를 막는다. 그놈이 얼음 도깨비를 잡으려 한다면 우리가 먼저 잡을 것이고, 그놈이 헛짓을 한다면 우리가 그것을 빌미로 김 대사를 칠 것이다. 만일 얼음 도깨비가 있다면 놈을 생포하고, 생포가 어렵다면 냉큼 죽여라. 내가 못 가지면 김 대사 그놈도 못 가져야 한다!"

"알겠습니다!"

부하가 병사들을 소집하러 속히 달려 나갔다.

“하. 거기 있을 때 더 많이 먹어 둘걸. 더 많이 마셔 둘걸.”

철불가가 입맛을 다시며 말했다. 고래눈과 범이가 적굴암에 찾아온 날 소소생은 자취를 감췄다. 철불가는 소소생을 달래서 다른 곳에서라도 화천왕 행세를 하고 싶었으나, 철불가가 한눈을 판 사이 소소생은 감쪽같이 사라져 버렸다.

그나마 다행은 철불가가 장보고의 보물 창고에 있던 폐지와 백적계 부하들이 바친 재물을 부지런히 챙겼다는 것이고, 불행은 그중 재물이 든 가방을 실수로 소소생에게 줘 버린 것이었다. 철불가가 챙긴 가방엔 폐지 조각만 들어 있었다.

“하필 똑같이 생긴 가방이어서 헷갈리다니.”

하지만 철불가에게 쓸모없는 것은 없었다. 정말 쓸모없는 것이라 해도 그걸로 사기를 쳐서 이득을 얻으면 그 물건은 쓸모가 생기는 것이니 말이다.

철불가는 틈틈이 적굴암 여기저기 나뒹굴던 폐지를 가방에 모으곤 했다. 철불가는 시장에 있던 옷 하나를 대충 걸친 채 하나 남은 가방에서 폐지 조각을 꺼내 들었다. 그는 골동품 가게가 모여 있는 골목에 자리를 펴고 앉았다.

“자, 날이면 날마다 오는 게 아닙니다. 장보고의 딸, 장 낭자가 어린 시절 글자를 연습하던 종이가 왔습니다. 이 글씨체를 보십시오. 장 낭자의 것입니다! 장 낭자와 장보고의 추억이 서린 글자 연습장!

파격 할인해서 한 장에 은괴 한 개!"

철불가가 바닥에 폐지 조각을 늘어놓고 외쳤다. 장 낭자와 장보고의 이름에 혹한 귀족들이 하나둘 모여들었다.

"이게 무슨 글자를 연습한 건가? 진짜 장 낭자 글씨체가 이랬느냐?"

"이건 장 낭자의 일기입니다. 어제 날씨는 맑음이었다는군요. 그건 장보고와 장 낭자가 먹었던 음식이 적혀 있고요."

"호오. 그래? 자, 여기 은괴 하나 주지."

구경하던 귀족 하나가 말했다.

철불가가 후후후 웃으며 은괴를 받으려 할 때였다.

"그런데 너, 어디서 본 것 같은데?"

"예? 그럴 리가요."

철불가가 대수롭지 않게 종잇조각을 내미는 순간 귀족과 눈이 마주쳤다. 이럴 수가. 그 귀족은 철불가가 소소생을 데리고 처음 사기를 쳤던, 고리대금업을 하는 귀부인이 아닌가! 귀부인은 은괴를 받으려고 뻗은 철불가의 손을 콱 움켜쥐었다.

"너, 화천왕의 사제 아냐?"

"네? …니요? 그럴 리가요? 하하하."

철불가가 어색하게 웃으며 바닥에 펼쳐 놓았던 종이 뭉치를 서둘러 가방에 담았다.

"허허, 비가 오려나. 하늘이 꾸물꾸물한 것이 오늘은 날이 아닌가 보네. 이건 다음에 팔아야겠어."

"어딜 가려고. 너 화천왕의 사제 맞잖아! 내가 너 때문에 화천왕인지 뭔지한테 가진 거 다 바치고 너보다 잘생긴 남자랑 결혼하게 해 달라고 빌었는데. 나 정말 기억 안 나?"

귀부인은 철불가의 멱살을 잡았다. 그 바람에 철불가가 쓰고 있던 모자가 벗겨져 그의 잘생기고 매끈한 얼굴이 훤히 드러났다.

"아니, 낭자! 내가 낭자를 잊었을 리가 없잖아. 내가 너무나 사랑하던 여인인데. 그동안 무슨 일 있었어? 얼굴이 반쪽이 됐잖아! 이러니 알아볼 수가 없지. 이러다 낭자의 얼굴이 소멸해 버리겠어. 누가 낭자를 힘들게 한 거야? 내가 가만두지 않겠어!"

"너다, 너! 너 때문에 재산 다 잃고 박 한찬 어른께도 추궁을 받는 신세가 됐다고! 너 아주 잘 만났다!"

귀부인은 움켜쥔 멱살을 격하게 흔들었다. 철불가는 숨이 막혀서 캑캑거리며 얼굴이 시뻘개졌지만 쉼 없이 혀를 놀렸다.

"나도 낭자를 잘 만났다고 생각해. 왜냐하면 그사이 더 아름다워진 낭자를 볼 수 있게 되었으니까."

"그런 입에 발린 소리에 넘어갈 줄 알고? 화천왕이고 뭐고 다 사기였지?"

말은 그렇게 했지만 멱살을 쥔 귀부인의 손에서 슬며시 힘이 빠졌다. 철불가가 이를 놓치지 않고 말했다.

"낭자, 그땐 나도 화천왕에게 속아서 사제가 된 거였어. 하지만 이젠 화천왕이 가짜라는 걸 깨닫고 사제 자리에서 물러났지. 그게 무슨 뜻인 줄 알아?"

"너도 사기꾼이라는 소리지!"

"이제 나도 낭자와 결혼할 수 있다는 소리야."

"뭐, 뭐?"

"낭자, 나와 결혼해 주겠어?"

귀부인은 철불가가 갑자기 청혼하며 훅 들어오자 당황하여 말을 더듬었다. 잘생긴 남자와 결혼하는 것은 귀부인이 어릴 적부터 꿈꾸던 평생소원이었기 때문이다.

"이런, 내 정신 좀 봐!"

철불가가 너털웃음을 터트리며 자기 이마를 탁 때렸다.

"낭자에게 맨입으로 청혼을 하다니 말이야. 낭자에게 바칠 아름다운 꽃이라도 꺾어 올 테니, 기다려 줄래?"

"어머……."

귀부인이 얼떨결에 수줍게 고개를 끄덕였다.

철불가는 귀부인의 손에 입을 맞추고는 폐지 조각을 담은 가방을 들고 부리나케 도망쳤다.

"너… 너! 또! 거기 서!"

"미안해, 낭자! 난 비혼주의자라서 말이야."

철불가가 줄행랑을 치며 외쳤다. 철불가는 거미줄처럼 얽힌 골목으로 뛰어 들어가 몸을 숨기려 했으나, 이미 골목마다 박 한찬의 병사들이 진을 치고 있었다. 박 한찬이 얼음 도깨비를 찾으라고 명령하면서도 철불가와 소소생은 꼭 잡아들이라고 지시했기 때문이었다. 얼음 도깨비와 철불가, 소소생을 동시에 잡아야 하니 병사들도 덩달아 바빠졌다.

"저기 있다! 잡아라!"

"철불가다! 놈을 잡아라!"

"저놈의 모가지를 바치고 포상금을 타자!"

병사들이 외치는 소리에 철불가는 발이 보이지 않을 정도로 빨리 달렸다. 지붕을 뛰어넘고 골목을 내달리고 건물 외벽을 기어올라 박 한찬의 병사들을 따돌릴 수 있었다.

잠시 후 병사들이 모두 사라진 것을 확인한 후에야 철불가는 한숨을 쉬며 작은 술집으로 숨어들었다. 술을 주문한 철불가는 말라버린 입술을 축이기 바빴다.

"이거, 당신 거요?"

옆에 앉아 있던 한 남자가 철불가의 가방에서 삐죽 튀어나온 폐지 조각을 가리키며 말했다. 차분한 목소리에 선한 인상을 가진 남자였다.

"그렇소만. 관심 있소? 이게 무슨 말인지 알 수 없는 말만 잔뜩 쓰여 있는 것처럼 보이지만, 장 낭자가 글씨를 연습하던 종이들이라서 그 가치가 엄청나다오."

"장 낭자라니? 이건 암호로 적혀 있는 비밀문서 아니요?"

"뭐, 뭐라고? 암호? 비밀문서라고 했소, 지금?"

철불가의 눈이 확 뜨였다.

"그렇소. 그런데 왜 표지만 가지고 있는 거요? 나머지 속지는 어디에 있소?"

어쩌면 이 종이 쪼가리들이 철불가의 생각보다 더 진귀한 가치를 가지고 있는지도 몰랐다. 철불가는 종이를 살펴보느라 고개를 숙이고 있는 남자의 얼굴을 들여다보았다.

“이게 뭔지 읽을 수 있단 말이오? 사기 치는 거면 가만두지 않을 거요. 당신 누구요, 대체?”

남자가 주저하다가 답했다.

“장동이라 하오.”

7

철불가는 장동의 말에 입을 다물지 못했다.

'암호문이라니. 글씨 연습이라도 한 것처럼 글자가 삐뚤빼뚤한 것이 영락없이 폐지라고 생각했는데 암호여서 그랬구나.'

철불가는 주변에 보는 이가 없는지 살피더니 장동을 구석으로 데리고 갔다. 철불가는 가방에서 종이 뭉치를 꺼내 보여 주었다.

"이 암호문을 해독할 수 있겠소?"

장동은 장난감을 갖고 노는 아이처럼 종잇조각들을 상에 좍 펼쳐 놓고 이리저리 맞추어 보더니 말했다.

"이건 풀이하면 '빠진 머리카락이 다시 나는 비법'이고, 이건 '키가 한 뼘 더 자라는 비법', 요건 '물에서 고래처럼 오래 숨을 참는 비법'이라오."

"그런 거였군. 이것이 장보고가 숨겨 둔 진짜 보물이었어."

장보고의 첫 번째 보물 창고는 세상의 온갖 귀중한 지식을 담고 있는 거대한 도서관인 셈이었다. 후대에 그 지식들이 악한 자들에게 넘어가는 것을 경계하여 일부러 삐뚤빼뚤 못쓴 글씨 같은 암호를 만들어 기록해 놓았던 것이다. 해적들은 그런 줄도 모르고 장보고가 일부러 폐지 무더기로 함정을 파서 해적끼리 싸우게 만들었다고 생각했다. 어쩌면 진짜로 그런 의도도 있었을지 모르지만, 확실한 것은 첫 번째 보물 창고의 목적이 지식의 보관이란 사실이었다.

"가서 다른 것도 더 가져와야겠어. 아니, 아예 모조리 쓸어 와야지."

철불가가 벌떡 일어섰다. 입 밖으로 꺼내진 않았지만 방금 장동이 말한 것들은 돈이 되기에 충분했다. 철불가가 급하게 종잇조각을 가방에 쑤셔 넣자 장동이 말했다.

"이걸 가져온 곳으로 가는 거라면 나도 데려가 주시오."

"난 일행을 만들지 않소. 그리고 귀한 지식 저장고에 당신을 왜 데려가야 한단 말이오?"

"내가…… 괴물을 만들었기 때문이오. 최근 난리를 일으키고 있는 불 도깨비 지귀와 얼음 도깨비 모두 내가 만든 약 때문에 벌어진 일이오."

"아니, 내가 감탄해 마지않던 그 신기한 술법을 만든 사람이 진짜로 당신이란 말이오?"

장동은 모든 사실을 털어놓았다. 그의 이야기는 이러했다.

장동은 옛날부터 숫자에 밝아 귀족들의 재산을 관리해 주며 먹고 살았다.
그의 취미는 신기한 고문서를 찾아 그 내용을 연구하고 실험하는 것이었다.

캬
오
그러다 보니 기이한 술법도 많이 알게 되었는데,

어느 날 김 대사가 나타났다.
에흠

그때 예전에 수집한 고문서에 있던 알약 제조법이 떠올랐고

장동은 불 도깨비를 만드는 약과 얼음 도깨비를 만드는 약을 사탕 모양으로 제조했다.

"뭐야, 당신 대단하잖아? 그런데 보물 창고에는 왜 가겠다는 거야? 또 다른 괴물 약을 만들고 싶어서?"

"아니오. 그곳이라면 괴물을 인간으로 되돌리는 방법도 있을 것 같아서요. 없다면 어쩔 수 없지만, 그래도 하는 데까지 해 보고 싶소. 내가 만든 약 때문에 불 도깨비와 얼음 도깨비가 나타나 세상에 해를 끼친다는데 가만히 있을 수는 없잖소. 내가 저지른 잘못을 바로잡을 수 있게 나도 데려가 주시오."

"하, 이거. 난 원래 혼자 다니는 사람인데. 특별히 예외요."

철불가가 생색을 냈다. 그러면서 속으로는 재빠르게 주판알을 튕겼다. 이 종이를 파는 것은 바보짓이다. 자칫 잘못하면, 그 술법으로 남들이 벼락부자가 되는 걸 푼돈을 쥐고 구경만 해야 할 수도 있다. 하지만 종이의 암호를 해독할 수 있는 데다가 술법이 담긴 약까지 만들 수 있다면? 자신이 벼락부자가 되는 것이다. 잘 구슬리기만 하면 장동은 그야말로 박씨를 물어 온 제비가 아닌가.

철불가는 간사한 미소를 지으며 말했다.

"나만 따라오시오."

이 비장은 박 한찬의 병사들이 움직였다는 소식을 접하고 슬그머니 미소를 지었다. 얼음 도깨비를 잡는 것은 애초에 불가능했다. 장인과 싸울 때도, 흑갑신병과 싸울 때도 이 비장은 인간이 얼마나 연약하고 초라한지 몸소 깨달았다. 눈앞에서 픽픽 쓰러지던 병사들이 아직도 눈에 선했다. 이 비장은 가늘고 길게 살고 싶었다.

하여 이 비장은 박 한찬에게 얼음 도깨비가 흑삼치이며 김 대사가 그를 잡아 서라벌에 바치려 한다는 사실을 슬쩍 흘린 것이다. 박 한찬이 김 대사의 부하인 자신을 막아서면 좋고, 얼음 도깨비를 찾아서 없애 준다면 더욱 좋을 것이다. 목숨이 날아가느니 김 대사의 불벼락을 적당히 감내하는 편이 나았다.

이 비장은 김 대사가 편하게 놀고먹으며 새 옷이나 짓고 있을 시간에 직접 얼음 도깨비를 찾아다녀야 한다는 사실이 개탄스러웠다. 하지만 어쩌겠는가. 이것이 신분이 낮은 자의 비애인 것을. 이 비장은 멀리 나가지만 않으면 얼음 도깨비 해적단을 마주치지 않을 거라고 생각했다. 하지만…….

휘오오오오오-

덥고 습한 바람이 순식간에 살을 에는 칼바람으로 바뀌었다. 칼바람과 함께 저 멀리서 눈보라가 휘몰아쳐 오고 있었다. 눈보라의 중심에는 얼음 괴물이 된 천모호를 타고 달려오는 흑삼치, 그 뒤를 따르는 얼음 도깨비 해적단이 있었다.

"이, 이런 젠장할. 왜 하필 여기로 오는 거야? 박 한찬의 병사들은 대체 어디 가고?"

이 비장은 초조하게 혼잣말을 하더니, 불안을 참지 못하고 부하들에게 냅다 소리쳤다.

"전투 준비! 얼음 도깨비가 나타났다!"

흑삼치가 이끄는 얼음 도깨비 해적단은 병사들이 무기를 고쳐

잡기도 전에 이 비장이 탄 전함 앞까지 당도했다.

크아아아악. 천모호가 소름 끼치는 소리로 울었다. 그 포효를 시작으로 얼음 요괴들이 이 비장의 전함 위로 뛰어내렸다. 제일 먼저 전투에 나선 수북이가 던진 고드름 창에 병사들이 피할 새도 없이 한데 꿰어졌다. 돌주먹은 커다란 얼음 덩어리 같은 주먹으로 병사들을 후려쳤다. 얼음 주먹에 얻어맞은 병사들이 갑판을 부수며 처박혔다. 쿵 하고 산만이가 뒤늦게 전함 한복판으로 뛰어들자 충격이 바다까지 전해졌다. 겁에 질린 병사들이 화살을 쐈으나 산만이의 단단한 얼음 근육을 뚫을 수 없었다. 산만이가 아랑곳없이 돌진하자 병사들이 그대로 짓눌렸다.

산만이를 따라 다른 부하들도 전함으로 들이닥치자, 병사들이 속수무책으로 쓰러지기 시작했다. 이 비장도 칼을 꺼내 들고 간신히 얼음 요괴들에 맞서 싸웠다. 무예가 출중한 이 비장이었으나 그의 칼날은 차가운 공기에 서리가 내려 무용지물이 되었다. 어느새 눈보라가 거세지더니 눈앞이 온통 하얗게 변했다. 세차게 흩날리는 눈발 사이로 마침내 흑삼치가 모습을 드러냈다.

"이 비장, 오랜만이군."

"흑삼치!"

흑삼치의 푸른빛 두 눈이 이 비장을 노려보았다. 이 비장은 그 시선을 느끼기만 해도 심장이 얼어붙는 것 같았다.

'이대로 죽는구나! 원통하다.'

이 비장은 몸이 급격하게 굳어 가는 것을 느꼈다. 눈썹에 서리가 끼고 입술은 보라색으로 변해 갔다. 입술과 눈꺼풀이 붙어서 잘 떼어지지도 않았다.

그때 휘익, 불화살이 날아들었다. 흑삼치가 날카로운 얼음 칼로 변한 철살도를 휘두르자 불화살이 베어지며 불꽃이 사그라졌다. 이 비장이 간신히 뒤를 돌아보니 박 한찬 가문의 표식을 단 전함이 도착해 있었다.

'살다 살다 박 한찬 패거리가 반가운 때가 올 줄이야.'

전함에서 불화살이 비처럼 쏟아졌다. 그들의 공격으로 잠시나마 달아날 수 있다는 희망이 생겼다. 이 비장은 흑삼치가 한눈판 사이 뱃고물로 달려갔다.

"어, 어서, 여기를 빠져, 나, 가야……."

이 비장이 이를 딱딱 부딪치며 간신히 말했다. 하지만 이를 본 천모호가 달려와 배의 키를 잡은 병사의 목을 물어뜯어 버렸다. 이 비장의 얼굴에 솟구치는 피가 촤악 뿌려졌다. 뜨거운 핏물마저 찬 공기에 방울방울 보석처럼 단단히 굳어 바닥에 쏟아졌다. 촤르르. 이 비장의 머릿속에 갑판을 구르는 핏방울 소리만 울려 퍼졌다.

흑삼치의 부하들은 박 한찬네 전함으로 건너가 이 비장의 전함에서 그랬던 것처럼 순식간에 병사들을 살육했다. 박 한찬의 부하들도 그 잔혹한 광경에 전의를 상실하고 주저앉고 말았다.

"시시하군."

흑삼치가 이 비장과 박 한찬의 부하를 보며 말했다.

"신라의 바다는 이제 우리 것이니, 다음은 육지다. 김해경을 시작으로 신라는 육지와 바다가 전부 얼음으로 뒤덮일 것이다. 그리 되면 온 세상이 내 것이 되겠지."

얼음 도깨비가 되어 막강한 힘을 얻자 흑삼치의 욕망은 걷잡을 수 없이 커져 갔다. 인간의 나약한 육신에 갇혀 있던 거대한 욕망과 차디찬 본성에, 그를 이룰 수 있는 힘이 더해진 것이다.

"가서 전해라. 얼음 도깨비들이 찾아간다고. 이번 여름은 그 어느 때보다 추울 것이라고."

흑삼치가 탄 얼음 해적선이 바다를 유유히 건너 김해경의 항구로 나아갔다. 해적선이 지나가자 근처에 있던 작은 고기잡이배와 날아가던 갈매기, 헤엄치던 물고기까지 그 자리에서 얼어붙었다.

흑삼치가 멀어지자 세차게 불던 눈보라도 사라졌다. 이 비장은 부들거리는 몸을 애써 움직여 사포로 뱃머리를 돌렸다. 박 한찬의 부하도 마찬가지였다. 병사들의 머릿속에 이미 명령 따윈 남아 있지 않았다. 얼음 도깨비와 대적할 수 있는 인간이 있을 리 없었다. 또 다른 도깨비라면 모를까.

그 시각 소소생은 김해경의 시장을 떠돌고 있었다.

"콜록콜록."

소소생은 어디선가 불어오는 찬 바람에 기침이 나왔다. 예전 같았으면 기침과 함께 불씨를 토해 냈겠지만 지금은 시커먼 잿가루만 간신히 뱉을 뿐이었다.

"차라리 불을 뿜을 때가 나았으려나."

소소생은 이제 무얼 해야 하나 고민했다. 덕담을 해야겠다고 마음먹었다가도 고래눈이 다시는 마주치지 말고 바다 건너로 가 버리라고 한 말이 자꾸만 떠올랐다. 덕담을 하며 온갖 냉대와 비난에 익숙한 소소생이었지만, 고래눈의 차갑고 서늘한 눈빛은 한겨울의 바닷물보다도 시렸다.

"고래눈이 그렇게 심하게 말할 줄이야. 내가 다가가지 못하게 철옹성처럼 벽을 치는 기분이었어. 그래, 이런 걸 '철벽'이라고 불러야지."

소소생은 고래눈에게 실연당한 것을 덕담으로 승화하려 했다. 덕담을 향한 열정 때문이기도 했으나 덕담을 떠올리며 아픔에서 도망치고 싶기도 했다. 그때 시장에서 사람들이 하는 이야기가 귀에 꽂혔다.

"얼음 도깨비 이야기 들었소?"

"들었지. 얼음 도깨비가 이끄는 해적단이 이리로 오고 있다면서. 수군도 완전히 당했다더군."

"그럼 어째? 우리도 도망쳐야 하는 거 아니오?"

"어디로 도망친단 말이오. 우릴 지켜 주는 사람이 없는데."

"화천왕이 나타나 주면 좋을 텐데."

가만히 듣고 있던 소소생은 화천왕이라는 말에 깜짝 놀라 컥, 컥 다시 기침을 했다. 이번에도 시커먼 재만 입에서 튀어나왔다.

"괜찮소?"

이야기하던 사람들이 소소생을 보고 물었다. 소소생은 마저 이야기하시라고 손짓을 하고는 쿨럭쿨럭 기침을 했다.

"화천왕은 사기꾼이었잖소. 화천왕보다는 그, 삼면총해적주인가 하는 해적이라도 와야 상대가 되지 않겠소? 그 해적은 불을 자유자재로 다루는 실력이 엄청나게 뛰어나다던데."

소소생은 "커억 커헉." 사레가 들려서 더 크게 기침을 했다.

"괜찮소? 아직 젊은이가 어디 아픈 거요?"

"아닙니다, 콜록콜록."

"그 삼면총해적주가 사실은 덕담게 해적 두령이라더군."

"덕담게 해적이면 죽었다가 살아 돌아온 그 해적 소소생을 말하는 건가? 역시 대단하구먼."

"맞아. 철불가를 부하로 두고 그 밑에도 부하가 천 명이 넘게 있었다더군. 지옥에서 돌아온 후 지귀가 돼서 해적들을 무릎 꿇렸다던데?"

"아이고, 그럼 뭐 해. 유일한 희망이던 삼면총해적주도 지금은 두문불출이라며? 우린 이제 얼음 도깨비한테 다 죽게 생겼어."

소소생은 사람들이 한탄하는 이야기를 듣고 서둘러 구석으로 갔다. 주변에 아무도 없는 것을 확인하고는 "크흡!" 하고 불을 뿜어 보려고 기를 모았다.

하지만 아무 일도 일어나지 않았다. 불을 피우려고 고래눈을 떠올릴 때마다 눈앞에 나타난 고래눈이 차가운 표정으로 이렇게 말했기 때문이다.

크
흡
야
압

"친한 척하지 마."

"다신 눈앞에 나타나지 마."

"바다 멀리 가 버려."

가슴이 뜨거워지다가도 고래눈의 말이 생각나면 차갑게 식어 버렸다. 소소생은 고래눈이 했던 말을 떨치려고 고개를 세차게 내저었다.

"으으, 아니야, 다시 다시!"

소소생은 눈을 감고 '가슴에서 뜨거운 불이 일어난다. 나는 지귀다. 나는 불 도깨비다.'라고 속으로 되뇌었다. 가슴이 조금 데워지나 싶을 때쯤 또다시 고래눈이 눈앞에 나타났다.

"으아악! 아니야! 아니라고!"

고래눈의 말이 악몽처럼 떠오르자 소소생은 소리를 질렀다.

"헉헉."

눈을 뜬 소소생은 현실을 뼈저리게 깨달았다. 이제 소소생은 지귀가 아니었다. 그렇다고 완전히 사람으로 돌아온 것도 아니었다. 소소생에게는 사람들을 구할 불씨가 더는 남아 있지 않았다.

"그럼 난 대체 뭐지……."

8

"고래눈 형제, 왜 그런 거짓말을 하신 겁니까."

범이가 물었다.

고래눈이 소소생에게 한 말은 전혀 평소 그의 태도답지 않았다. 절연하려고 작정한 듯 일부러 지어낸 게 분명했다.

"인간으로 돌아가고 싶다고 했으니까."

고래눈은 소소생이 지귀가 된 게 자신을 좋아하는 마음 때문이라는 것에 책임감을 느꼈다. 그래서 선덕여왕이 지귀에게 매몰차게 했던 말을 그대로 들려주었다. 그러지 않으면 어설프게 미련이 남은 소소생이 지귀의 불 때문에 고생할 것이 뻔했다.

"그래도 너무 심하셨어요. 고래눈 형제답지 않았습니다."

범이가 말했다. 범이는 소소생이 마음에 들지 않았지만 상처받은 표정을 보니 안쓰러웠다. 마치 자신이 고래눈에게 고백했다 거절이라도 당한 듯 덩달아 가슴이 아렸다.

소소생이 계속 지귀로 살아가도록 두고 볼 수는 없었으니까 어쩔 수 없었다고 고래눈은 애써 마음을 다잡았다. 하지만 소소생이 가슴 아파하는 것을 보니 고래눈의 마음도 흔들리긴 마찬가지였다.

새삼 고래눈은 자신의 마음을 깨닫고 놀랐다.

'동정심이 이리도 가슴 아플 일인가.'

어찌 되었든 불 도깨비는 사람이 되었으니, 이제는 얼음 도깨비를 사람으로 되돌려 놓아야 했다.

김해경 앞바다에 얼음 폭풍이 몰아치더니 검푸른 바다가 삽시간에 하얗게 변하기 시작했다. 흑삼치가 이끄는 얼음 도깨비 해적단이 마침내 김해경에 도달한 것이다. 꽁꽁 언 바다 위로 흑삼치와 얼음 도깨비 해적단이 유유히 걸어왔다.

"얼음 도깨비다! 얼음 도깨비가 나타났다!"

망루에 선 병사가 횃불을 흔들며 외쳤다. 보초를 서던 병사들이 흑삼치와 그의 부하들을 막으려고 화살을 쏘고 칼을 휘둘렀으나 소용없었다.

흑삼치가 눈보라를 일으켜 그들이 쏘는 불화살의 불을 꺼트렸고, 천모호는 칼을 휘두르는 병사에게 달려들어 목을 물어뜯었다. 얼음 요괴가 된 흑삼치의 부하들은 병사들을 집어 던졌다.

병사들이 무력하게 제압당하자 백성들은 겁에 질려 달아났다.

흑삼치가 철살도로 땅을 내려치자, 쏜살같이 뻗어 나간 서릿발이 달아나는 백성들을 얼음 조각상으로 만들어 버렸다.

김해경 시장에 있는 고급 술집에서 술을 홀짝이던 박 한찬은 돌연 강하게 부는 눈보라에 깜짝 놀라 일어났다. 목이 배길 정도로 누워만 있었던지라 박 한찬은 얼마 만에 일어나는 건지 기억도 나지 않았다.

얼마 전 얼음 도깨비를 토벌하러 떠났던 부하가 때마침 달려 들어왔다. 흑삼치에게 처참히 패한 그의 몰골은 명문가 소속의 군인이라곤 생각할 수 없을 정도로 초라했다. 그러나 그는 살아남았다는 것만으로 하늘에 감사하고 있었다.

"한찬! 어서 대피해야 합니다!"

"대체 무슨 일이냐?"

"얼음 도깨비들이 쳐들어왔습니다! 병사들이 사력을 다해 막아보고 있으나 곧 무너질 듯합니다. 속히 몸을 피하십시오!"

박 한찬도 부하의 남루한 행색에 사태의 심각성을 금방 깨달았다. 부하가 이끄는 대로 박 한찬은 술집을 나와 달아나기 시작했다. 기다란 가마에 탄 채 꽁무니를 빼는 꼴은 백성들에게 두고두고 잊지 못할 광경이었다.

그 시각 김 대사는 얼음 도깨비를 손수 잡겠다며 김해경에 막 도착한 참이었다. 김 대사는 살을 에는 추위가 피부로 느껴지자 이비장을 탓했다.

"비장이 그때 얼음 도깨비를 못 잡아서 내가 이런 꼴을 당하지 않나! 얼음 도깨비를 생포해야 석빙고를 얼음으로 채울 수 있는데 추위가 녹록지 않아 큰일이군."

김 대사는 병사들이 죽든 말든 이 비장이 다치든 말든 조금도 신경 쓰지 않았다. 이 비장은 김 대사의 말에 치가 떨렸다.

"어쨌든 박 한찬네 병력도 많이 죽었단 거지? 그럼 됐다. 비슷비슷하게 손실을 입은 거니."

'망할 김 대사 놈. 병사들의 목숨이 그저 장기짝 따위로 보이는 거냐? 너 같은 놈이 얼음 도깨비한테 잡혀가야 하는데.'

이 비장은 김 대사의 얼굴에 주먹을 날리고 싶은 욕구를 꾹 참았다. 김 대사는 이 비장에게 얼음 도깨비를 반드시 생포하란 명을 내리고 자신은 시장이 내려다보이는 술집으로 피신했다.

이 비장은 다시는 얼음 도깨비 해적단과 맞서고 싶지 않았으나 꼼짝없이 명령을 따라야 하는 부하들이 걱정되었다. 평소에는 김 대사와 다를 바 없이 셈이 빠르고 비열하게 사는 이 비장이었으나, 한편으로 제 부하들을 생각하는 마음은 끔찍했다.

"전열을 갖추고 전진한다!"

그러나 명령을 따르지 않을 수도 없는 법. 이 비장은 자신도 함께 죽을 각오로 병사들을 진군시켰다.

철불가는 장동을 데리고 청해진을 다시 찾았다. 장보고의 보물 창고에는 아무도 없었다. 그의 성정으로 보아 어느 정도 예상은 했으나, 고래눈은 소소생에 이어 천하제일 해적 자리를 물려받은 이후에도 적굴암을 지키고 있지 않았다. 폐지 같던 종잇조각들만 바닥에 굴러다닐 뿐이었다.

"고래눈이랑 범이는 어딜 간 거야? 이럴 거면 왜 나타나서 잘 있는 소소생을 쫓아낸 거냐고. 참나."

철불가가 투덜거리며 종잇조각을 알뜰히 챙겼다.

"자, 여기에 비밀문서들이 잔뜩 있으니 한번 해독해 보시오."

"이렇게 신기하고 방대한 지식이 쌓여 있는 곳은 처음이오. 실로 거대한 지식 창고로군. 여기에 괴물을 사람으로 되돌리는 방법도 있어야 할 텐데. 그래야 내 죄를 조금이라도……."

"그런데 따지고 보면 장동 당신이 잘못한 건 없지 않소? 다 김 대사가 시킨 짓인데."

"위로는 고맙소만, 이 일은 명백한 내 잘못이오. 김 대사에게 협박을 당했다 하나 결국 괴물 약을 만들어 낸 것은 내 위험한 호기심 때문이었으니 말이오. 이 과오를 씻을 수 있는 기회를 장보고 대사께서 주시는 것일지도 모르니, 최선을 다해 찾아보겠소."

장동이 말했다. 장동은 팔을 걷어붙이고 종이 더미를 들춰 가며 암호문을 빠르게 해독해 나갔다.

철불가는 그러한 장동을 보며 생각했다.

'이렇게 학식이 높으면서 그 지식으로 돈을 벌 생각도 하지 않고 오로지 재미를 위해 지식을 탐하다니. 제정신인가. 게다가 끝까지 해결법을 찾으려 하는 지독한 끈기와 책임감까지 갖추다니. 어쩌면

이 어그러진 세상이 그럭저럭 돌아가는 건 이러한 자들이 있어서일지도 모르겠군.'

철불가는 평소와 다른 감상에 빠져들었다.

"불화살을 날려라!"

이 비장이 외쳤다. 시뻘건 불화살이 하늘을 가르며 얼음 도깨비들에게 날아갔으나 삽시간에 불이 꺼지며 힘을 잃고 바다에 떨어졌다. 김해경을 지키던 박 한찬의 병사들은 자연스레 이 비장의 병사들과 합류하게 되었다. 게으르고 부패한 수장에게 버려진 병사들은 백성을 지키기 위해 한마음 한뜻으로 얼음 도깨비 해적단에 맞섰다. 그러나 얼음 도깨비의 손짓 한 번이면 병사들 수십이 얼음 기둥으로 변해 버리니 똘똘 뭉친 전우애로도 속수무책이었다.

그나마 무예가 출중한 이 비장이 칼에 불을 붙여서 얼음 요괴들과 싸웠으나 고작 제 목숨을 부지하는 수준이었다.

"헉. 헉……."

이 비장이 가쁜 숨을 몰아쉬면서 하얀 입김을 뿜어냈다. 얼음 도깨비를 따르는 부하들마저 전투에 뛰어들자 전세는 급격히 기울었다. 모든 면에서 열세였다. 더 이상 병사들을 희생시킬 수는 없다. 그러나 후퇴한다고 해서 살길이 보이지도 않았다.

이 비장이 빙판에서 잠시 주춤하는 사이 천모호가 재빨리 달려들었다. 천모호의 날카로운 이빨이 이 비장의 머리통을 부수기 직전이었다.

'이제 끝인가.'

암담하던 그때 뒤에서 네 개의 단검이 섬광처럼 날아와 천모호의 대가리에 꽂혔다. 마흔 개가 넘는 칼을 꽂아도 죽지 않는다는 천모호의 두꺼운 가죽에 예리한 칼날이 얼음송곳처럼 단단히 박혔다. 오합도였다.

"고래눈……?"

"비장, 괜찮으시오?"

천모호가 괴성을 지르며 잠시 움츠러들자 고래눈이 달려와 천모호 밑에 깔려 있던 이 비장을 일으켜 세웠다.

"와아아아아아!"

뒤에서 함성이 들리더니 해적 떼가 나타나 얼음 도깨비 해적단에게 달려들었다.

이 비장은 비틀거리며 일어나 사방을 둘러보았다.

꾸물꾸물 푸른색 괴물 지렁이 청구인 떼가 수북이를 향해 달려들었다. 청구인 떼가 자기들끼리 뭉쳐 커다란 그물을 만들더니 수북이의 발을 감아 넘어트리고, 이내 온몸을 꽁꽁 감싸 조여들었다.

반대쪽에선 커다란 괴물 쥐 서묘들이 몰려와 산만이의 몸을 뒤덮었다. 길쭉하고 뾰족한 앞니를 산만이의 단단한 몸뚱이에 콱직콱직 박아 넣자, 산만이가 괴로워하며 몸을 부르르 떨었다. 아무리 떼어 내려고 해도 자꾸 기어오르는 서묘의 행렬은 끝이 없었다.

또 한쪽에서는 괴물 바위 천량이 음식 뼈다귀를 뱉어 내면 해적들이 그것을 망치와 방망이 삼아 돌주먹과 맞섰다.

"덤벼라, 얼음 도깨비! 이날을 기다려 왔다!"

"넌 조무래기들이나 상대해! 얼음 도깨비는 내 차지니까."

마귀침과 은산호가 소리치며 달려왔다. 두 사람은 밭에서 쓰던 농기구를 그대로 들고 왔는지 마귀침은 커다란 쇠스랑을, 은산호는 두 자루의 낫을 휘둘렀다. 뿌우우우 질 수 없다는 듯 이수약우도 얼음 도깨비 해적단을 거대한 몸으로 들이받고, 두꺼운 코로 쓸어 버렸다.

소소생이 해적질을 그만두고 돌아가라고 내보냈던 백적계 부하들이 한데 집결한 것이다. 이 비장과 박 한찬의 병사들은 비록 해적들이어도, 같은 편에서 싸우는 이들이 나타나자 한결 기운이 났다.

"우리도 싸우자!"

"해적들이 싸우는데 우리 수군이 가만있을 순 없지. 수군의 힘을 보여 주자!"

병사들은 다친 몸을 이끌고 다시 일어섰다.

"이게 어찌된 일이오?"

이 비장이 놀라서 물었다.

"삼면총해적주의 힘이지요."

고래눈이 지휘봉을 들어 보였다.

지휘봉을 흔들면 다시 모이라고 철불가가 외친 것을 고래눈도 기억하고 있었다. 백적계 부하들은 소소생의 명대로 평범한 백성으로 돌아가 착실하게 살고 있었다. 은산호와 마귀침은 농민이 되어

밭을 갈았고 다른 부하들도 어부가 되거나 산으로 들어가 사냥꾼이나 화전민이 되기도 했다.

고래눈은 수군이 위기에 처하자 장보고의 보물 창고에서 챙겨 왔던 지휘봉을 높이 치켜올렸다. 지휘봉에 달린 고래 풍탁에서 나는 종소리가 바람을 타고 신라의 바다로 울려 퍼졌다. 그러자 각지에 흩어져 있던 해적들이 종소리가 들리는 곳으로 모여든 것이다. 이제 해적질을 그만둔 그들의 무기는 철퇴나 멋진 칼이 아니었지만, 싸움 실력은 녹슬지 않아 병사들에게 천군만마였다.

"웃기는군. 하찮은 인간들."

해적선 위에 서서 이를 지켜보던 흑삼치가 위협적인 목소리로 말했다.

"서로 적이라며 싸울 때는 언제고, 이제 와서 연합이라. 그리하면 나를 이길 수 있을 것 같으냐? 너희의 어리석음이 명을 재촉하는구나."

흑삼치가 철살도를 휘두르자 날카로운 칼바람이 병사들과 해적들에게 날아갔다. 칼바람은 차가운 공기 중에서 얼음 결정을 머금더니 순식간에 그들의 살갗을 베어 내며 휘몰아쳤다.

"하하하!"

흑삼치가 시원한 웃음을 터트렸다. 몇 번의 웃음만으로 추위가 점점 더 강해지는 듯했다. 그 바람에 꽉 얽혀 있던 청구인들과 악착같이 이빨을 박아 넣던 서묘들도 얼음 덩어리가 되어 버렸다. 흑삼치가 철살도를 휘두를 것도 없이 그들이 산산이 깨졌다.

흑삼치가 걸음을 내디딜 때마다 휘오오오 눈보라 소리와 사람이 죽어 가는 소리만 들려왔다. 그럴수록 눈보라는 더욱 거세지고 살아 있는 모든 것은 얼어붙었다.

고래눈도, 이 비장도, 범이도 점차 몸이 차가워지는 것을 느꼈다.

"흑삼치……!"

고래눈의 손에서 단검이 뿌려졌다. 그러나 흑삼치가 손가락을 들어 올리는 것만으로 단검이 공중에서 얼어붙었다. 흑삼치가 손짓하자 단검이 도리어 고래눈에게 날아들었다. 고래눈이 몸을 틀려고 했지만 어느새 다리 한쪽이 서릿발에 꽉 붙잡혀 있었다. 고래눈은 자신이 던진 단검을 꼼짝없이 온몸으로 맞았다.

"크윽!"

"고래눈 형제!"

범이가 달려와 고래눈의 다리를 간신히 땅에서 떼어 냈다. 범이는 고래눈을 들쳐 업고 바위 뒤로 몸을 숨겼다.

"얼음 도깨비가 이렇게 강할 줄이야."

"대체 두령은 어디 있는 거야? 부하들이 이렇게 당하고 있는데!"

마귀침과 은산호가 얼음 요괴들과 싸우며 말했다. 얼음 도깨비 흑삼치가 회오리바람을 조종하고 모든 것을 얼려 버리니 싸움이 길어질수록 자신들에게 불리했다.

"안 되겠어. 우리가 흑삼치를 막아야 해."

"나도 같은 생각이었어. 가자!"

은산호와 마귀침이 동시에 흑삼치에게 달려들었으나 파랗게 빛

나는 흑삼치의 눈동자를 보자마자 은산호와 마귀침의 몸이 얼음으로 뒤덮이기 시작했다. 눈빛만으로 두 사람을 제압한 흑삼치는 유유히 둘 사이를 지나쳐 갔다.

"으윽!"

"젠장……."

어떻게든 움직이려 했지만 두 사람은 똑같은 자세로 몸이 굳어 버렸다.

바위 뒤에서 점점 다가오는 흑삼치를 보며 초조해진 범이가 말했다.

"고래눈 형제, 먼저 도망치십시오!"

"나는 괜찮다. 더 싸울 수 있어."

"안 됩니다, 형제!"

범이가 일어서려는 고래눈을 붙잡았다.

그때 익숙한 목소리가 들렸다.

"저도 싸우고 싶습니다."

소소생이었다.

9

"찾았다!"

이제는 거의 종이 더미에 파묻히다시피 하며 비밀문서들을 뒤지던 장동이 마침내 외쳤다. 철불가가 달려가 장동이 들고 있는 종잇조각을 보았다.

"음, 봐도 모르겠군. 여기에 괴물이 된 사람을 원래대로 되돌리는 법이 적혀 있다, 이건가?"

"그렇소. 이 창고에는 정말 기이하고 해괴한 술법이 적힌 문서가 많이 있구려. 나중에 다시 와서 하나하나 살펴보고 싶을 정도라오. 어쨌든 이 종이에 쓰인 대로 약을 제조한다면 도깨비가 된 사람을 평범한 인간으로 되돌릴 수 있소. 하지만 재료가 필요하오. 이 주변에 탕약을 만들 만한 곳이 있소?"

"그렇다면 김해경으로 가야겠군."

"시간이 없소."

장동이 걸음을 재촉했다. 철불가는 장동을 데리고 장보고의 보물 창고를 빠져나갔다.

"오는 길에는 이 근처로 오는 배를 얻어 탔으나 이번엔 다른 걸 타고 가야겠군."

푸른 바다가 보이는 절벽에 다다르자 철불가가 걸음을 멈췄다. 네모진 바위들이 쌓여 있는 것처럼 특이한 모양새의 절벽이었다. 철불가가 절벽 끝에 위태로이 서서 여기저기를 두드렸다. 그러자 쿠웅 쿵 소리가 들리더니 절벽 한쪽이 무너져 내리며 네모난 바위 하나가 하늘로 부웅 떠올랐다. 바위는 철불가의 열 배 정도로 큰데도 가볍게 공중에 떠 있었다.

"이것은 부석……?"

"역시 잘 아는군. 일전에 이 녀석을 여기서 발견하고는 꽤 놀랐지. 해적 놈들과 이걸 타려 했지만 꿈쩍도 안 했다네. 이번엔 자네가 있으니 분명 이 녀석도 좋아할 걸세."

부석이 우웅 웅웅 소리를 내며 다가왔다. 철불가가 장동에게 부석의 머리처럼 툭 튀어나온 곳에 손을 올리도록 했다.

"이렇게 하면 부석이 손을 댄 자의 학식을 읽는다오. 얼마나 현명하고 지혜로운 자인지 파악해 그자를 태울지 말지 정하지."

장동은 부석이 자신의 손에서 나오는 기운을 느끼듯 우우웅 우웅 소리를 내자, 긴장하여 아무 말도 하지 못했다. 부석이 자신을 받아들이지 않으면 제시간에 도착하지 못할지도 모른다. 그리 생각하니 초조해서 침도 제대로 삼킬 수 없었다.

마침내 우웅 소리가 멈추자 그그극 소리를 내며 부석의 표면이 벽돌 모양으로 분해되었다. 네모난 부석이 웅크리고 있던 몸을 펴듯 이곳저곳 바위가 뻗어 나가더니 곧 거대한 배로 변했다.

"합격이네, 장동. 이 부석이 자네의 학식이 마음에 들었나 보군. 어서 타세!"

장동이 괴물을 사람으로 되돌리는 술법이 적힌 서류를 들고 부석에 올랐다. 뒤따라 철불가가 타려 하자 부석은 몸을 쏙 뺐다. 철불가는 하마터면 절벽으로 떨어질 뻔했다.

"허허, 녀석. 앙탈은!"

철불가가 웃으며 아무렇지 않은 척 다시 부석에 한 발을 딛자 부석이 더욱 크게 몸을 흔들어 철불가를 넘어트렸다.

"흠, 흠, 부석이 당신의 학식이 부족하다고 느낀 모양이오."

장동이 웃음을 꾹 참고 말했다.

"나도 어디 가서 머리 하나는 빠지지 않는단 말이오. 일평생을 잔머리로 살아왔거늘!"

철불가가 자존심이 상해 빽 소리를 질렀다.

"그 머리가 아닌 것 같소만."

장동은 예의를 차리면서도 할 말은 했다.

"나와 동행이니 철불가도 태워 줄 수 있겠니?"

장동이 용머리처럼 생긴 곳에 대고 말하자 몸을 흔들던 부석이 잠잠해졌다. 철불가는 자존심이 상했으나 잠자코 부석에 올랐다.

이윽고 부석이 장동과 철불가를 태우고 물살을 가르며 낮게 날아갔다. 부석 위에서 바람을 맞으며 철불가가 말했다.

"생각해 보면 말이야. 장보고가 보물 창고에 온갖 지식을 숨겨 놓고 부석을 여기에 갖다 놓았다는 것은…… 그를 해석할 현명한 이를 찾으려고 했는지도 모르겠군! 바로 자네 같은 사람 말이야."

"소소생!"

소소생을 본 범이가 반가움에 큰 소리로 외쳤다.

"야, 네가 반갑기는 또 처음이다. 지금은 평범한 사람인데 어떻게 싸우겠다는 거야? 마침 잘 왔어. 어서 고래눈 형제를 데리고 여길 벗어나. 흑삼치는 내가 어떻게든 막아 볼 테니까."

소소생은 고개를 가로저었다.

"이 위기에서 벗어날 유일한 방법은 지귀뿐이야. 얼음 도깨비의 상대는 불 도깨비니까……."

소소생은 고래눈과 눈이 마주치자 눈을 내리깔았다.

"그런데 저는 고래눈의 진심을 듣고 더 이상 불을 만들지 못하게 되었습니다. 그러니 가짜로라도, 진심이 아니어도 좋으니, 저를 좋아한다고 해 주실 수 있겠습니까. 절 싫어한다는 것은 잘 알지만, 말이라도, 말이라도 그렇게 해 주신다면 다시 지귀가 될……."

소소생이 주절주절 말하는 틈에 고래눈이 소소생의 옷깃을 잡아끌어 그의 입술에 자신의 입술을 포개었다.

"……!"

소소생이 눈을 번쩍 떴다. 소소생은 가슴이 터질 것 같았다. 아니나 다를까 정말로 가슴에서 화르르 시뻘건 불길이 일어났다. 소소생의 검은색 눈동자가 새빨간 빛으로 변하더니 가슴에서 시작된 화염이 소소생의 온몸을 휘감았다. 전에 없이 강렬하고 밝은 불길이었다. 불 도깨비 지귀로 돌아온 것이다.

고래눈이 말했다.

"됐나?"

소소생은 얼굴이 시뻘개지더니 온몸에서 폭발하듯 불길이 일었다. 꽃잎 회오리에 감싸인 것처럼 분홍빛이 일렁이는 불이었다.

"됐다마다요!"

감히 상상도 못 할 일이 벌어지자 소소생은 구름 위를 나는 듯한 기분을 느꼈다. 기분이 아니라 진짜였다. 고래눈의 얼굴을 살펴볼 새도 없이 폭발하듯 하늘로 날아가 버린 것이다. 그래, 그 자리에 더 있다가는 또 고래눈에게 유치한 고백을 해 버렸을지도 모르니 차라리 잘된 일이었다. 소소생은 몸에서 나오는 연기로 하늘에 곡선을 그리며 저 멀리 사라져 버렸다.

고래눈 옆에는 범이가 얼굴이 새빨갛게 달아오른 채 입만 벙긋거리고 있었다.

"바, 바, 방금……!"

"소소생을 지귀로 되돌리려면 저 방법밖에 없었다."

고래눈이 애써 태연하게 말했다. 하지만 고래눈의 귀와 목도 빨갛게 달아오른 상태였다.

어쨌든 고래눈의 입맞춤으로 다시 지귀가 된 소소생은 신이 나서 흑삼치에게 날아갔다.

"으앗!"

소소생은 너무 강한 불꽃에 중심을 못 잡고 빙글빙글 돌기도 했으나 곧 익숙해져 공중에서 자유자재로 움직일 수 있었다. 거대한 불기둥을 보고 멈칫한 흑삼치의 코앞에 소소생이 가뿐히 착지했다. 소소생이 내뿜는 열기 때문에 마귀침과 은산호를 뒤덮고 있던 얼음이 금세 녹았다.

"두령!"

"우리의 전 삼면총해적주 괴물적이신 소소생 님이다!"

"두령, 보고 싶었습니다!"

마귀침, 은산호, 털보와 백적게 부하들이 소소생을 보고 환호했다. 소소생은 변변한 무기도 없이 농기구나 생활 도구를 든 그들과 재회하자 울컥했다. 별 볼 일 없는 자신의 명령을 성실히 따라 준 그들이 고마웠던 것이다. 소소생은 백적게 부하들에게 행여 불씨가 튈까 봐 고래눈 때문에 펄떡펄떡 날뛰는 불길을 작게 다스렸다. 소소생은 이제 마음먹은 대로 불길을 쥐락펴락할 수 있었다. 화천왕 노릇을 할 때 만난 기예꾼들이 가르쳐 준 기술이 제법 유용하게 쓰였다.

소소생이 흑삼치에게 외쳤다.

"흑삼치! 아무 상관도 없는 사람들은 그만 괴롭히고 바다로 돌아가세요!"

"말로만 듣던 불 도깨비가 너였구나. 이런 힘을 숨기고 있었다니 역시 음흉한 녀석이군."

"저도 이렇게 되고 싶어서 된 게 아니라고요. 제 풍탁에 사탕을 넣어 놓은 게 정말 흑삼치 당신인가요?"

"오호. 그 썩은 사탕을 말하는 거냐? 그렇다면 그 힘은 내가 준 거로구나. 내가 네놈에게 그런 힘을 주었는데 고마워하기는커녕 내게 맞서다니. 목숨이라도 건지고 싶다면 당장 꺼져라."

"정말 당신이었군요! 당신 때문에 제가 어떤……. 잠깐, 그럼 혹시 그 고백도……?"

소소생이 헙, 입을 틀어막았다.

"말도 안 되는 소리는 집어치워라!"

흑삼치가 철살도를 소소생에게 겨누자 흑삼치 주변의 얼음 결정들이 날카롭게 뭉치더니 소소생을 향해 쏘아졌다. 흑삼치에 맞서 소소생이 두 손을 뻗어 불꽃을 일으키자 얼음과 불꽃이 부딪치며 엄청난 양의 수증기가 뿜어져 나왔다. 이어서 소소생의 온몸에서 불꽃이 회오리치며 퍼져 나갔다. 강렬한 불꽃에 바닷물이 끓어오르며 전장이 삽시간에 짙은 연무로 뒤덮였다.

흑삼치도 이에 질세라 안개를 베어 냈다. 뿌연 안개가 눈보라로 바뀌어 회오리 쳤다. 흑삼치가 하늘을 향해 손을 뻗자 덜그럭 덜그럭 괴이한 소리가 들려오더니 후드드득 해골 얼굴처럼 생긴 우박인 천우인이 쏟아지기 시작했다.

"으악! 해골 머리통이 쏟아진다!"

"이, 이게 뭐야!"

은산호와 마귀침이 천우인을 보고 꼼짝도 못 하자 이수약우가 달려와 두 사람을 코로 휘감아 올려 달아났다. 두 사람이 서 있던 자리에 퍽퍽 천우인이 떨어졌다.

"케하하하하."

"크하하하하."

안개와 눈발에 한 치 앞도 보이지 않는 가운데 천우인이 덜그럭 덜그럭거리며 웃는 소리가 여기저기서 들려오자 병사들과 해적들은 공포에 떨었다. 어디로 향하는지도 모르는 채로 우왕좌왕하며 달려가다 제풀에 고꾸라지곤 했다.

도망치는 사람들을 본 소소생은 조금이라도 피해를 줄이려고 흑삼치를 김해경에서 멀리 유인하기 시작했다. 흑삼치에게 불길을 쏘며 바다를 향해 내달렸으나, 천모호를 잡아타고 쫓아오는 흑삼치는 그보다 훨씬 빨랐다.

소소생이 천모호에게 따라잡히기 직전 두 손에서 불줄기를 뻗어 천모호를 휘감았다. 갑작스레 불꽃에 휩싸인 천모호가 괴로워하며 뒹굴었다. 흑삼치가 침착하게 철살도로 불줄기를 끊어 내자 금세 정신을 차린 천모호가 괴성을 지르며 소소생을 물어 던졌다.

"으아아악!"

바다 저 멀리 날아간 소소생이 얼어붙은 해수면에 쿵 처박혔다. 그러나 곧 불기둥을 뿜으며 다시 일어섰다.

"헉. 헉……."

아직까지 싸늘한 냉기를 뿌려 대는 흑삼치와 달리 소소생은 점차 지쳐 갔다. 고래눈 덕분에 솟구쳐 올랐던 열기가 눈에 띄게 사그라들고 있었다. 눈동자의 붉은빛도 어느새 옅어졌다.

'큰일이야! 내 불꽃마저 꺼진다면 흑삼치를 막을 길이 없어!'

그때 저쪽에서 우웅 우우우웅 소리를 내며 안개와 눈발을 헤치고 날아오는 무언가가 보였다. 철불가와 장동을 태운 커다란 부석이었다.

"소소생! 살아 있었구나!"

"철불가!"

"이분은 장동. 너와 흑삼치의 조물주시다."

"예?"

"말하자면 그렇다는 거지. 자세한 설명은 뒤에 하고, 이 사탕을 먹으면 소소생 너는 사람으로 돌아갈 수 있다. 그리고 흑삼치도!"

철불가가 사탕 두 개를 들어 보였다. 하나는 푸른색, 다른 하나는 붉은색 사탕이었다. 부석을 타고 김해경 시장에 먼저 들른 철불가와 장동은 그곳에서 재료를 구해 빠르게 사탕 형태로 알약을 만들어서 가지고 온 것이다.

"얼음 도깨비에게는 이 붉은색 사탕을, 지귀에게는 푸른색 사탕을 먹여야 합니다. 그러면 몸에 깃든 얼음 도깨비의 힘이 불 기운에 녹아서 사라질 것입니다. 지귀 또한 마찬가지고요. 만약 붉은색 사탕을 다른 사람에게 먹이게 되면, 그 역시 다른 괴물로 변할 수 있으니 주의해야 합니다."

장동이 사탕을 하나씩 가리키며 설명했다.

소소생이 물었다.

"그런데 흑삼치한테 이걸 어떻게 먹이죠? 쥐가 고양이 목에 방울을 다는 것처럼 어려운 일이잖아요."

"나한테 맡기렴."

웬일로 철불가가 늠름하게 나섰다. 소소생은 철불가가 이럴 때마다 사고를 쳤던 것이 떠올라 머뭇거렸다.

"차라리 내가 하는 게 어떻겠소."

고래눈이 말했다. 철불가가 미덥지 못한 것은 고래눈도 매한가지였다.

"어허. 흑삼치가 가장 싫어하는 게 나 아닌가. 고래눈 자네가 접근하면 흑삼치는 필시 경계할 터. 하지만 내가 가면 죽이려고 덤벼들지 않고는 못 배길걸? 그때를 노려서 입에 사탕을 집어넣으면 되지 않겠나?"

철불가가 남에게 이득이 되는 말을 할 때는 분명 숨기는 게 있다. 소소생은 이 사실을 잘 알고 있었지만 당장 철불가 말고는 뾰족한 수가 없었다.

"알겠어요. 절대 딴마음 먹기 없기예요?"

"녀석!"

철불가는 대답은 안 하고 사람 좋은 미소만 지었다.

"철불가, 이 사탕은 꼭 다 먹어야 효과가 있소. 반드시 목구멍에

쏙 들어가게 먹여야 합니다."

장동이 말했다.

철불가는 비장하게 일어서서 흑삼치에게 먹일 사탕을 쥐고 바다로 걸어갔다. 철불가의 뒷모습은 곧 눈보라 속으로 사라졌다.

철불가는 슬쩍 소소생과 고래눈의 눈치를 살피더니 방향을 바꾸어 달아났다. 철불가가 향한 곳에는 죽은 병사들의 칼이 뒹굴고 있었다. 철불가는 칼날을 조각내 장화 바닥에 대고 밧줄로 동여맸다. 어설픈 빙화*였지만 철불가는 금세 익숙해졌다.

"하하하! 이 사탕을 왜 흑삼치에게 먹인단 말인가? 비싸게 팔아서 한탕 해야지! 평범한 사람한테 먹이면 그 사람도 괴물로 만든다고? 차라리 내가 먹어 버리는 것도 나쁘지 않겠어."

철불가가 빙판길이 된 바다를 가로질렀다.

"잘 있어라, 얼음 도깨비! 잘 있어라, 지귀!"

빙화의 칼날이 철불가의 걸음을 따라 얼음판 위에 하얀 선을 그렸다.

*** 빙화:** 신발 바닥에 쇠로 된 날을 붙여 얼음판 위를 지치는 기구

10

"저놈은?"

저 멀리 달아나는 철불가가 흑삼치의 눈에 띄었다. 흑삼치는 지체 없이 철살도를 집어 던졌다. 철살도가 정확히 철불가 바로 앞에 꽂혔다. 철불가는 "으힉!" 놀라면서도 재빨리 방향을 틀었다. 철살도에서부터 얼음 줄기가 뻗어 나오며 철불가를 붙잡으려 했지만 철불가는 엉성한 빙화를 신고 잘도 빠져나갔다.

"이 쥐새끼 같은 놈!"

잡힐 듯 잡히지 않는 철불가에 약이 오른 흑삼치가 손을 뻗어 주먹을 꽉 쥐자 빙판에서 별안간 빙벽이 솟아났다. 철불가가 빙벽에 부딪혀 빙글빙글 돌다가 넘어지자 빙화의 칼날이 끝내 부서지고 말았다. 천모호가 달려와 바닥에 엎어진 철불가를 앞발로 깔아뭉갰다.

"으윽! 저리 가!"

철불가가 안간힘을 써도 천모호의 어마어마한 괴력에 옴짝달싹 할 수 없었다. 철불가가 발버둥 치는 동안 흑삼치가 만족스러운 표정으로 걸어왔다. 흑삼치가 다가올수록 철불가의 주위의 얼음 기둥이 점점 높아졌다. 마침내 흑삼치가 철불가의 코앞까지 다가오자 얼음 기둥은 철불가를 들어올려 거꾸로 매단 형태가 되었다.

"반가운 얼굴이군, 철불가. 드디어 네놈을 죽일 수 있겠구나."

흑삼치가 말했다.

'철불가까지 흑삼치에게 잡히다니!'

소소생은 철불가가 사탕을 들고 내빼려다 붙잡힌 줄도 모르고 초조한 마음에 주변을 둘러봤다.

"하하하. 이렇게 보니 기분이 좋구나. 이번에도 남겨 둔 또 다른 수가 있는 거냐? 있다면 어디 한번 해 보거라."

흑삼치가 자신만만한 표정으로 덜덜 떨리는 철불가의 얼굴을 비웃었다.

"……."

철불가는 새파랗게 질려선 아무 말도 하지 못했다.

소소생의 눈에 마침 은산호와 마귀침이 가져온 기다란 밧줄이 보였다. 소소생이 고래눈에게 밧줄의 한쪽 끝을 주며 무언가 속삭였다. 고래눈이 고개를 끄덕이고는 휘리릭 어디론가 사라졌다. 다쳤다고는 하나 기척 없이 움직이는 고래눈의 실력은 얼음 도깨비가 된 흑삼치도 눈치채지 못할 정도였다.

'조금만 참아요, 철불가.'

소소생은 흑삼치가 철불가에게 정신이 팔린 틈에 발목에 밧줄의 다른 쪽 끝을 묶었다. 그러고는 조용히 깊은 곳에서부터 불길을 끌어 올리기 시작했다.

"뭐라고 말이라도 해 보지 그러나, 철불가? 아, 이미 뼛속까지 얼어붙어서 아무 말도 못 하는 건가?"

"……."

어찌 된 일인지 이럴 때마다 조잘거리며 수작을 부려서 화를 돋우던 철불가가 조개처럼 입을 꽉 다물고 있었다. 급기야 얼음 기둥에 붙잡힌 철불가의 얼굴이 서서히 보랏빛으로 변해 갔다.

"입을 다물고 있는 모습이 마음에 드는군. 하긴 천하제일 해적, 삼면총해적주조차 나를 막지 못하니, 무슨 말을 할 수 있겠는가? 하하하."

그때 철불가가 보라색으로 변한 입술을 달싹이며 중얼거렸다.

"뭐?"

철불가의 웅얼거리는 소리는 여전히 작아서 잘 들리지 않았다.

"……잊어언느……?"

"뭐라는 것이냐?"

흑삼치가 철불가의 얼굴을 코앞까지 바짝 당겼다. 그러자 철불가가 중얼거리는 소리가 똑똑히 들렸다.

"그 천하제일 해적, 삼면총해적주의 스승이 나란 걸 잊었나?"

철불가가 씨익 웃자 어금니 뒤에 숨겨 두었던 붉은색 사탕이 보

였다. 그 순간, 철불가에게 성을 내느라 벌려져 있던 흑삼치의 입속으로 사탕이 쏙 들어갔다.

"컥……!"

뒤늦게 흑삼치가 헛구역질을 했지만 사탕이 목구멍으로 넘어간 뒤였다. 목구멍에서부터 뜨거운 기운이 식도를 타고 온몸으로 퍼져 갔다. 흑삼치의 몸에 스며들어 있던 차가운 기운이 뜨거운 기운과 섞이면서 스르르 눈 녹듯 사라지기 시작했다.

"안 돼! 안 돼!"

흑삼치가 온 힘을 끌어모아도 소용없었다.

"이놈들…… 나 혼자 죽지는 않겠다!"

흑삼치가 증오로 가득한 눈빛을 돌렸다. 남은 기운이 모조리 뿜어져 나오며 거대한 얼음 기둥이 난잡하게 솟아났다.

"자, 잠깐…… 흑삼치!"

철불가가 깜짝 놀라 얼음 기둥에 매달린 채 버둥거리는 사이 어느새 고래눈이 흑삼치의 주변으로 밧줄을 둘렀다. 고래눈이 고개를 끄덕이자 불꽃을 끌어 올리던 소소생이 "흐아아앗!" 소리를 지르며 온몸에서 나오는 불길을 밧줄로 실어 보냈다.

소소생의 불길이 밧줄을 타고 빠르게 번져 나갔다. 마구잡이로 솟아나던 얼음 기둥에 불꽃이 닿자 쾅! 폭발음을 내며 오히려 커다란 불기둥이 터져 나왔다.

흑삼치의 마지막 발악이 소소생의 불꽃에 완전히 제압됐다. 더 이상 힘이 남아 있지 않은지 흑삼치가 털썩 무릎을 꿇었다. 얼음 비늘이 돋았던 흑삼치의 외양도 인간의 모습으로 돌아왔다.

그제야 흑삼치의 힘으로 생겨났던 얼음들이 녹기 시작했다. 얼음 기둥에 사로잡혀 있던 사람들도 서서히 풀려났다. 얼음 요괴가 된 산만이, 수북이, 돌주먹도 사람으로 돌아왔다.

흑삼치는 철불가를 바라보며 주먹을 부르르 떨었다.

"망할 철불가! 또 내 앞을 막아? 그것도 찝찝하게 제 입에 있던 사탕을 내 입에 넣어서! 반드시 네놈을 죽이고 말겠다."

"흑삼치 님! 지금은 후퇴하셔야 합니다. 수군이 곧 반격을 할 겁니다."

"젠장할. 해적선으로 돌아간다!"

흑삼치와 부하들은 빠르게 해적선을 몰아 김해경을 벗어났다. 그들이 채 달아나기도 전에 꽁꽁 얼어 설원처럼 변했던 김해경 앞바다는 제 색깔을 되찾았다.

"철불가, 이제 저한테도 사탕을 주세요."

"응? 무슨 말이지?"

소소생의 말에 철불가가 딴청을 피웠다. 기억 상실이라도 걸린 척 어설픈 연기까지 하자 장동이 말했다.

"철불가, 지귀가 아닌 사람이 그 사탕을 먹으면 몸에 물의 기운이 가득 차서 아가미가 자라고 물고기로 변할 수도 있습니다."

"아, 그 사탕! 진작 말하지! 난 또 딴거 말하는 줄?"

철불가는 그 말에 냉큼 주머니에서 푸른색 사탕을 꺼내 소소생의 손바닥에 올려 주었다. 소소생이 사탕을 입에 넣으려고 하자

"잠까안!" 하고 철불가가 소리쳤다.

"소소생, 너 정말로 사람이 되고 싶니? 지귀의 힘이 있으면 온 세상을 가질 수 있는데 정말 그걸 포기하겠다고? 모두가 널 두려워하고 경배하고 네 말에 복종할 텐데?"

"그건 제가 원하는 게 아니에요. 전 사람들을 두렵게 하는 것보다 웃게 만드는 게 더 좋아요."

소소생은 그렇게 말하며 푸른색 사탕을 입에 넣었다.

"에휴, 원래 안 웃겼는데. 뭘 자꾸 웃기겠다고."

철불가가 한숨을 쉬며 말했다.

까드득. 소소생이 사탕을 씹자 시원하고 알싸한 맛이 입안에 퍼졌다. 온몸에 시원한 바람이 돌며 뜨거운 기운이 사그라지는 것이 느껴졌다. 소소생이 눈을 감았다 뜨자 검붉게 변했던 눈동자가 검은색으로 돌아왔다. 비로소 지귀에서 완전히 인간으로 돌아온 것이다. 몸에 붙은 불이 전부 꺼지자 철불가가 어디선가 챙겨 온 옷을 소소생에게 던져 주었다. 소소생은 철불가가 준 옷을 걸쳐 입고 장동에게 말했다.

"감사합니다! 다시 인간으로 되돌려 주셔서!"

"아니오. 애초에 내가 약을 만들지 않았다면 이 난리는 일어나지 않았을 것인데. 나 또한 이번 일로 많이 반성했소. 미안하오."

장동이 이렇게 말하자 철불가가 질척거리며 들러붙었다.

"이보게, 장동. 우린 분명 최고의 단짝이 될 거요. 우리가 힘을 합치면 화천왕보다 더 큰 일을 벌일 수 있다니까?"

장동은 사람 좋게 웃으면서 철불가를 무시하고 자신의 집으로 돌아갔다. 소소생을 받들던 백적게 부하들도 다시 논으로, 산으로, 바다로 뿔뿔이 흩어져 돌아갔다. 소소생은 은산호, 마귀침, 털보와 백적게 부하들을 한 명씩 안아 주는 작별 인사를 잊지 않았다.

"고생했다, 소소생."

고래눈이 말했다. 소소생은 고래눈을 보자 또 가슴이 뜨거워졌다. 지귀였다면 또다시 불꽃이 일었을 것이다.

소소생은 고래눈에게 아까 했던 입맞춤이 무슨 의미인지 물어보고 싶었다. 단순히 자신을 지귀로 돌려놓으려고 한 행동이려니 싶다가도, 정말 아무 감정도 없던 것인지 묻고 싶었다. 하지만 차마 용기가 나지 않았다. 말할까 말까 소소생이 망설이는 사이 고래눈이 먼저 입을 뗐다.

"다, 다음에 또 보자꾸나."

고래눈은 얼굴을 붉히면서 말하고는 지붕 위로 휙 날아가 사라졌다.

"고래눈 형제, 같이 가요!"

범이는 다음번엔 소소생에게 지지 않겠다고 결심하며 고래눈을 따라 지붕으로 뛰어 올라갔다. 소소생은 범이와 고래눈이 사라진 지붕 너머를 바라보았다. 눈부신 햇빛이 쏟아지고 있었다.

〈지귀 편 下 끝.
7권에 계속〉

해당 도감의 그림과 설명은 문헌 기록을 참고하였으며,
괴물 수집가로 널리 알려진 곽재식 작가의 상상력과
감수를 토대로 재해석하였음을 밝힙니다.

청구인

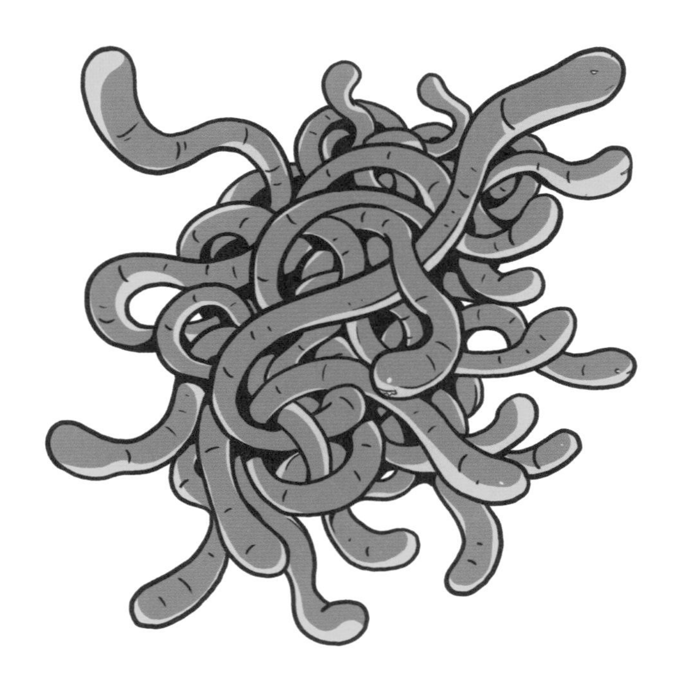

푸른 지렁이라는 뜻으로, 비에 섞여 하늘에서 떨어지기도 하는 거대한 지렁이 같은 괴물이다. 비가 올 때 더 활발히 움직이며, 사람에게 해를 끼치지는 않는다. 일정 수 이상의 개체가 모이면 서로 뭉치고 얽히면서 실타래나 천과 같은 모양을 이룬다. 온순하고 굼뜨지만 한번 뭉치기 시작하면, 무엇으로도 떼어 놓을 수 없어 종종 사람이 얽혀 들어가 죽기도 한다.

서묘

고양이 같은 쥐라는 뜻으로, 고양이보다도 쥐를 잘 잡는다. 보통 쥐보다 몸집이 크고, 이빨이 길쭉하며 기다란 꼬리가 달려 있다. 쥐를 사냥해서 먹기를 좋아하는데, 굶주린 쥐들을 한데 모아 놓고 자기들끼리 잡아먹도록 훈련시켜 만들어진 괴물이다. 성정이 흉폭해서 눈에 띈 사냥감은 절대 포기하지 않고, 한번 물면 끝까지 놓지 않는다. 서묘를 사육하던 이가 방심한 틈에 서묘 떼에 습격당했다는 이야기가 종종 전해진다.

천량

하늘에서 내려 준 음식이라는 뜻으로, 바위처럼 단단한 등껍질을 가진 괴물이다. 멀리서 보면 바위처럼 보이는데, 등껍질에는 깊은 구멍이 있어 이따금 구멍에서 먹을 것이 쏟아져 나온다. 이를 본 사람들이 하늘에서 내려온 음식으로 여기며 기뻐하기도 했다. 다 자란 천량은 거대한 바위 같아서 거의 꿈쩍하지 않는데, 깊은 산속에선 종종 신선 같은 이가 천량의 몸에서 나온 술을 마시며 노닌다고 전해진다.

부석

떠다니는 돌이라는 뜻으로, 사람 키의 열 배 정도 되는 크기의 네모난 바위다. 높이 떠 있을 수는 없지만 어디서든 뜰 수 있어 물 위나 높은 산 위에서도 출몰한다. 착하거나 학식이 높은 사람을 흠모하여 그들을 태워 주거나 도움을 준다. 하지만 자신의 기준에 부합하지 않는 자는 철저히 거부하고, 무시한다. 모습을 자유자재로 바꿀 수 있어 배나 용의 모습으로 변하기도 한다.

크리처스 6: 신라괴물해적전
지귀 편 下

1판 1쇄 인쇄 2023년 11월 30일
1판 1쇄 발행 2023년 12월 14일

글 곽재식, 정은경
그림 안병현
펴낸이 김영곤
펴낸곳 (주)북이십일 아르테

융합1본부장 문영
기획개발 변기석 신세빈 김시은
디자인 임민지
아동마케팅영업본부장 변유경
아동마케팅1팀 김영남 정성은 손용우 최윤아 송혜수
아동마케팅2팀 황혜선 이해림 이규림 이주은
아동영업팀 강경남 오은희 김규희 황성진 양슬기
제작팀 이영민 권경민

출판등록 2000년 5월 6일 제406-2003-061호
주소 (우 10881) 경기도 파주시 회동길 201(문발동)
대표전화 031-955-2100 **팩스** 031-955-2151
홈페이지 www.book21.com

ISBN 978-89-509-3597-9 (44810)
978-89-509-0969-7 (세트)

* 책값은 뒤표지에 있습니다.
* 이 책 내용의 일부 또는 전부를 재사용하려면 반드시 (주)북이십일의 동의를 얻어야 합니다.
* 잘못 만들어진 책은 구입하신 서점에서 교환해 드립니다.